D1063417

ELVIRA LINDO

Algo más inesperado que la muerte

punto de lectura

Título: Algo más inesperado que la muerte

Juan Bravo, 38. 28006 Madrid (España) www.puntodelectura.com

ISBN: 84-663-1138-6
Depósito legal: B-13.726-2004
Impreso en España – Printed in Spain

Diseño de cubierta: MGD
Fotografía de cubierta: *Blue umbrella nº 2* © Alex Katz. VEGAP
Diseño de colección: Suma de Letras

Impreso por Litografía Rosés, S.A.

Segunda edición: marzo 2004

23 / 4

ELVIRA LINDO

Algo más inesperado que la muerte

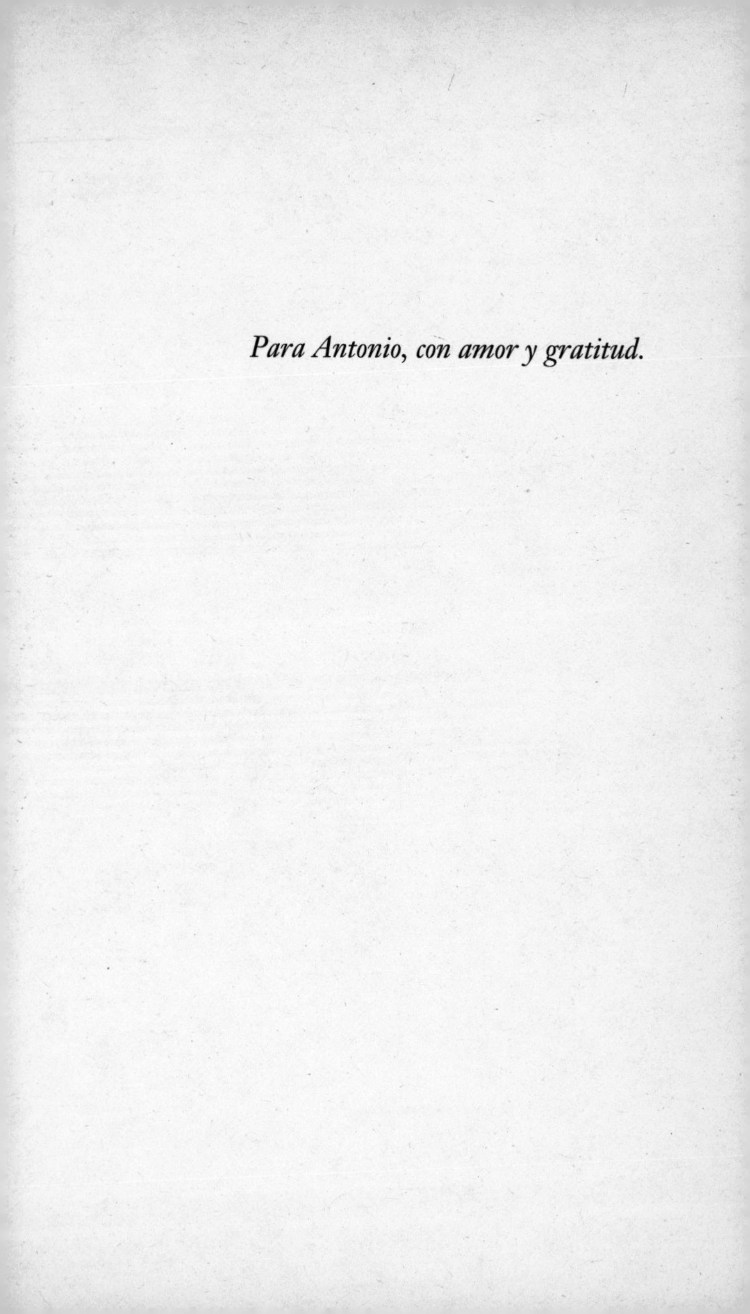

Para Antonio, con amor y gratitud.

«Si no imaginamos el futuro, ¿cómo vamos a creer que existe? Pienso que en un año o dos se recuperará la atmósfera, se repararán los daños y volveremos a caminar bajo la clara luz del día. Pero jamás he sido tan profundamente consciente del caos, como si estuviéramos en plena caída desde una órbita atmosférica inmoral, como si la dulce gravedad de la vida estuviera en peligro.»

JOHN CHEEVER, *Diarios*

Primera parte

Cosas que se piensan pero no se dicen

La dependienta se ha marchado a por una talla más y ella se ha quedado sola. Cuando se mira al espejo todavía tiene la sonrisa en los labios. La sonrisa estaba dedicada al diminutivo que utilizó la dependienta. Dijo: «Una tallita más», y Eulalia bromeó sobre esos dos kilos de más como si no importaran, como si ella estuviera por encima de estas, de otras vulgaridades. Pero ahora que se ha quedado sola la sonrisa pierde todo el sentido porque Eulalia se encuentra ante lo que verdaderamente piensa. Piensa que la dependienta utilizó el diminutivo, una tallita, para no desanimar a una clienta que probablemente está dispuesta a gastarse un buen dinero, que es capaz de dejarse vencer por un capricho y comprar cosas inesperadas, que no le hacen falta, que puede que nunca se ponga. Ha utilizado el diminutivo con esa inteligencia que tienen las dependientas de los sitios caros para borrar los defectos evidentes de sus clientas. Pero Eulalia sabe muy bien que ese diminutivo no es más que una estrategia comercial, puede imaginarse, por qué no, a la dependienta comentando en voz baja a alguno de sus compañeros algo irónico, grosero incluso, sobre la imposibilidad de que a esa mujer que espera sola en el probador le siente algo aceptablemente bien. Eulalia piensa que tiene el defecto de la lucidez, una lucidez que le sobreviene en los momentos en que está sola, la voz interior que le asalta de pronto analizando todo aquello que los demás le han dicho y que le tortura provocándole en el pensamiento una inundación de las probables intenciones torcidas de los otros. El psiquiatra le dijo que se trataba de una forma leve de paranoia, eso le dijo, aunque cuando ella levantó las cejas en un gesto que expresaba el profundo malestar ante la idea de ser una paranoica, peor aún, de que alguien la tomara por una paranoica, el doctor Millán suavizó la afirmación, quiso tranquilizarla, convencerla de que la paranoia es uno de los trastornos más frecuentes de la psiquiatría, que la mayoría de la gente, de cualquiera que no haya contemplado jamás la idea de ir a un especialista, convive con ideas paranoicas. El egoísmo, la egolatría, la necesidad perpetua de ser adulado, de que el juicio que tienen los demás sobre nosotros sea positivo, esos defectos que definen a muchas personas y que nunca se toman por asuntos psiquiátricos, encubren muchas veces, en mayor o menor grado, ciertos niveles de paranoia. Y te diría más, le dijo Millán, es algo frecuente en los individuos con una sensibilidad creativa: todo para ellos es rabiosamente personal, todo es autorreferencial, no hay nada en el mundo que no guarde una estrecha relación con ellos, hasta el punto de hacer conexiones absurdas de pensamiento para llevarlo siempre al terreno que quieren, al yo; lo que ocurre es que la palabra da miedo, pero tener leves trastornos psiquiátricos es casi inherente al ser, ¿de qué viviría yo, si no?; ¿quién está sano?, ¿conoces tú a alguien que esté sano, Eulalia? Tú que te mueves en un mundo de personas inteligentes, capaces, que han logrado encauzar todas sus frustraciones, sublimar incluso sus taras en un trabajo artístico, ¿piensas que esas personas sensibles, competentes, que tú conoces, que admiras, están completamente sanas?

Ahí se acabó aquella sesión. Eulalia y el doctor Millán se tendieron la mano y ella salió del despacho con la sonrisa en los labios, la misma sonrisa amistosa y ligeramente irónica que regalaba tantas veces al día, la que había dedicado hace tan sólo un momento a la dependienta, una sonrisa que siempre se borraba de pronto, como si los labios perdieran la vida, perdieran musculatura y se cayeran hacia abajo en un gesto repentino. Nada más salir aquel día del despacho del psiquiatra, Eulalia pensó que era evidente que el médico, después de lanzar una afirmación tan inquietante, había intentado rectificar teorizando sobre la línea invisible que separa la cordura de la enfermedad. Estaba claro que lo había hecho para que ella no se molestara en exceso y siguiera acudiendo a su consulta. Pero ya estaba dicho. Para su mente torturada y obsesiva ya estaba dicho, sabía perfectamente que la palabra paranoia rondaría a partir de ese momento por su pensamiento de una forma latente brotando a la conciencia en el momento más inadecuado, cuando estuviera entrando en el sueño, o en esa hora del amanecer en la que desde hace ya casi un año se despierta.

No, el psiquiatra había rectificado porque no quiere perderla, al fin y al cabo, tiene con ella una información más que apetecible de los personajes de la vida pública; en cualquier relato de la semana que le cuenta deja caer varios nombres de gente conocida, y no porque ella tenga un empeño especial en relatar a Millán ciertos cotilleos culturales, sociales, sino porque la vida de Eulalia y de Samuel, su marido, está inevitablemente ligada a la de otros personajes públicos. Forman parte de ese hilo de celebridades del que, si uno tirara, sacaría una por una a todas las personas que son alguien en este mundo. Cuando el doctor Millán escucha esos nombres célebres adopta un gesto neutro. Es evidente que sabe muy bien de quién habla su paciente pero él finge —o tal vez no finge— que por lo único que le interesan las historias, chismes, mezquindades, de esos personajes secundarios es por la relación que guardan con ella y con su infelicidad, por llamar de algún modo a la dolencia de la que Eulalia intenta curarse. En esos momentos en los que el doctor teoriza o intenta centrar una conversación que se ha dispersado en exceso, Eulalia se dedica a observarle. Piensa en lo extraordinario del llamado secreto profesional. Quién se cree eso. Ella intuye el placer con que el médico escucha secretos a los que jamás habría tenido acceso si no fuera porque un día ella se puso en sus manos intentando solucionar un insomnio persistente y agotador que le provocaba el miedo, cada vez más acusado, a perder la razón. Está segura, muy segura, de que él llegará a casa y le contará a su mujer, o a su novio —es tan neutro cuando está con ella que cabe la posibilidad de que sea homosexual—, algún detalle de la jugosa sesión de la tarde. La mujer, o el novio, querrán saber más. Él no lo contará todo a la primera, tiene que demostrar cierta honradez, ciertos escrúpulos, pero él, o ella, insistirán, jurarán que no van a contar nada a nadie, y el doctor Millán, como cualquier psicólogo, psiquiatra, confesor o ginecólogo, acabará narrando la historia al completo, no sólo sirviéndose de las palabras que su paciente ha empleado sino añadiendo su propio juicio, analizando la forma en que le fueron contados tales episodios, tal vez desvelando al hacerlo en voz alta algunos aspectos que él mismo no llegaba a comprender, tal vez escuchando la opinión de su mujer, de su novio, y apuntando, por qué no, en el cuaderno dedicado a esa paciente —el mismo en el que toma nota durante las sesiones— una ocurrencia espontánea de su pareja, que resulta ser luminosa y precisa, con esa perspectiva nada desdeñable que a veces tienen los de fuera, los que están más allá de aquel pequeño despacho en que una mujer aquejada de insomnio y un psiquiatra intentan desenmarañar una mente que es, sin duda, mucho más compleja de lo que a primera vista esa sonrisa tan aparentemente franca quiere parecer. Puede que fuera después de una de esas conversaciones domésticas cuando el doctor Millán anotó la palabra Paranoia, pensando que a veces hay que arriesgarse y lanzar una idea bruscamente al paciente a ver qué efecto provoca, igual que se cuentan las ondas que se forman cuando tiramos una piedra al agua. Y para él fue evidente que en ese gesto involuntario de disgusto que brotó en la cara de su paciente al escuchar el posible diagnóstico, se desvelaron algunas cosas. Al menos, el nivel de sus miedos. Ella recuperó casi inmediatamente la compostura como si no quisiera que se apreciara cuánto dolor había provocado esa afirmación inesperada, que tomó íntimamente más como una acusación que como una puerta que se abría. Se sobrepuso. Aunque el asombro siguió en su interior, en su cara apareció la sonrisa, y la mantuvo mientras se daban las manos cordialmente como hacían al final de todas las sesiones para despedirse. Las manos de él mostrando el afecto profesional, enigmático, de los psiquiatras.

Desde aquel día Eulalia intenta borrar de su pensamiento lo más rápidamente que puede aquello que le provoca desconfianza hacia los demás. Es una forma de demostrarse a sí misma que no hay ni sombra de paranoia en su actitud. Intenta controlar la idea de que en cada frase que le dirigen, la más trivial, va envuelta una pequeña agresión. Una tallita más. Bueno, qué coño importa. Tampoco importa lo que esta dependienta que ahora abre la puerta y le da otra blusa haya comentado con sus compañeras. Al fin y al cabo es cierto que hoy, por lo que sea, nada le sienta bien. Probablemente su malestar proceda de que le gusta una ropa que ya no le corresponde. Nada más que eso. Nada menos. El hecho de no poder abrocharse una talla cuarenta la ha precipitado a un repentino desánimo. Como si en ese pequeño hecho nada trascendental, más bien bobo, una talla más, que ocuparía un reportaje en el *Cosmopolitan* pero nunca unas páginas de interés literario, estuvieran resumidas todas aquellas cosas fundamentales que provocan el que una mujer acabe llorando dentro del probador de una tienda. Aunque Eulalia no lo piense o no sepa que lo está pensando, en esa ansiedad que ahora mismo le sube del pecho a la boca y llena su abdomen de sudor frío, están contenidas muchas tristes evidencias. La primera de ellas, que la vida ha perdido el ingrediente de excitación que otorga el saberse joven y deseable. Esta tarde está eligiendo un conjunto para una cena que va a dar en casa. Sabe las personas que van a asistir, once. La comida está encargada. Se la llevan a las ocho. A las ocho y media acudirán dos camareros contratados para la ocasión. La mesa ya está puesta, dispuesta, incluso ya decidieron entre Samuel y ella dónde sentar a los invitados, es penoso hacerlo a última hora, cuando las personas rodean la mesa con el vaso en la mano esperando que alguien les diga dónde les toca o arrimándose disimuladamente al comensal que más les interesa. Samuel presidirá, por supuesto, y a su lado, sentarán a la mujer del cónsul, además de ser lo apropiado también es un deseo de Samuel, que siempre quiere tener mujeres hermosas cerca para mantener un coqueteo que a Eulalia no se le escapa pero tolera porque sabe que su sitio en el mundo ya no peligra y porque en el hecho de ser condescendiente con un marido mucho mayor que ella, con un viejo, va implícita cierta venganza muy sutil: la de no sentir celos de aquel que en cuestión de pocos años va a depender de ti para siempre.

Le queda mucho mejor esta blusa más ancha. Le queda bien, sí. Le da un aspecto entre juvenil y sofisticado. Eso es lo que dice la dependienta que se ha colocado detrás de ella. Es un probador muy grande, como una habitación, les permite estar a solas y mirar al espejo con cierta distancia. Estás muy guapa, te da un estilazo bárbaro, dice, y se queda contemplándola con una especie de orgullo personal porque sabe que hoy ha sido difícil acertar, no se le escapa que su clienta tiene los ojos cercanos al llanto, o ha llorado o puede estar a punto de echarse a llorar.

Sí. Sí, está muy bien. Vaya, gracias, te he mareado de verdad. Es que hoy no es mi día, dice Eulalia, y se pasa un clínex por la frente para secar el sudor que primero fue provocado por un exceso de calor y luego impregnó la piel como una crema helada empapándole el pecho y el cuello, las sienes. ¿Quieres tomar algo?, le dice la dependienta, siéntate un rato, te tomas un café y yo mientras te voy empaquetando las cosas. Gracias, sí, ponme un café, no tengo mucho tiempo pero creo que debería descansar un poco.

Se sienta en la pequeña cafetería de la tienda y respira profundamente. Se ve reflejada en los espejos de la pared del fondo. Qué ve. Desde tan lejos no se aprecian los cuarenta y cinco años que cumplió hace un mes. No está mal, no está mal. Sólo es una mala época. Pero todo es transitorio. Los síntomas al fin y al cabo no son de importancia, los sudores, las palpitaciones y cierta predisposición al llanto, a sentirse herida. No se puede decir que sea algo físicamente doloroso. Lo doloroso es que se hayan ido de las manos esos años en los que la vida podía cambiar de la noche a la mañana, en los que una cena no era una simple reunión de amigos o de conocidos. Una cena, el salir por la noche, abría toda una serie de posibilidades que muchas veces no se cumplían, pero que estaban ahí, en la esencia de la misma juventud. Pero esta melancolía que ahora siente forma parte también de una gran contradicción, ¿no había luchado ella furiosamente para conseguir una posición perdurable?

El sudor va desapareciendo poco a poco. Suena el móvil. Mira en la pantalla. Es Leonor, su madre. Ya es la tercera vez que la llama desde que salió de casa esta mañana. El problema es que su madre no acaba de ver claro por qué mientras hay una cena en el salón ella tiene que quedarse en la cocina. Con la chacha, dice. Leonor nunca se refiere a Tere como la chacha, pero desde que ayer supo que no cenaría con los invitados le gusta repetir machaconamente que la van a relegar a la cocina, con la chacha. En realidad ya estaba previsto en la cena que dieron el mes pasado que Leonor se quedaría en la cocina cenando y viendo la tele, pero la muy bruja, pensaba Eulalia, se las apañó para salir cuando aún estaban con el vino del aperitivo. Dijo que sólo quería saludar. Y Eulalia se comportó como una buena hija: muy bien, mamá, saluda. Todos los invitados la besaron y ella actuó con desparpajo, con una actitud confianzuda que chocaba mucho en una anciana pero que Eulalia conoce desde siempre. Luego adoptó un gesto de desamparo para despedirse, hasta se encorvó un poco, falsamente, como hacen los actores jóvenes cuando pretenden representar a un anciano, cosa que irritó aún más a la hija que sabía que si su madre había tomado la decisión de salir hasta el salón no se iba a ir de allí de cualquier manera. Ahí os dejo, con vuestras cosas, dijo aniñando la voz, yo mejor me voy a mi cuarto, vaya a ser que mi hija se ponga nerviosa por si meto la pata o cuento algo que no debo aquí, delante de gente tan importante. Los invitados rieron y le pidieron, cómo no, que se quedara. Eulalia intentó inútilmente mostrarse natural, dijo, mamá, sabes que no hay espacio suficiente en la mesa. Pero ya la cosa se le había ido de las manos. Todos parecían considerar divertido que Leonor formara parte de la cena, al fin y al cabo, a quién no le gusta contemplar cómo los padres de nuestros amigos les dejan en evidencia, cómo sacan a relucir inapropiadamente asuntos caseros que luego darán mucho juego en el anecdotario que va pasando de unas cenas a otras. Eulalia lo sabía: Leonor no se iba a conformar con estar, no era ese tipo de anciana que se siente desplazada por las conversaciones de gente de otra edad o de otro mundo, no, ella monopolizaría la conversación.

Además de repetir excesivamente a los invitados si querían más comida y de repartir lo último que quedaba en las bandejas, porque dijo varias veces que era una pena tirar una comida tan cara, además de especificar los precios de cada bocado que se metían a la boca, preparó su sorpresa final para cuando llegaron los postres. Es posible que ese descaro que desplegó fuera provocado en parte porque tanto Jaime Castellet como Miguel Pamies le estuvieron llenando la copa con la maliciosa ilusión de desatarle la lengua completamente a aquella anciana imparable para que acabara contando las pequeñas miserias de su hija y su yerno, pero si así fue, les salió mal la jugada y se volvió de pronto, abruptamente, contra ellos. A Leonor no se le ocurrió otra cosa que preguntarles, como si se tratara de una pregunta trivial y común, a cuánto había ascendido el adelanto de sus últimos libros. A Leonor le gusta soltar palabras así, adelanto, como para dar a entender que está en el ajo, que no ignora el vocabulario que se maneja en el mundo de su yerno. Eulalia intentó frenarla pero Leonor no es de las que permiten que se les deje sin responder a una pregunta y fue directa a Castellet. Para hacerle confesar no se le ocurrió otra cosa que informar de cuánto había cobrado su yerno por el último tomo de sus memorias, en el que ella —hablaba como si fuera la única que las había leído— no aparecía porque el libro se quedaba en el año 1980 y en ese año Eulalia y Samuel aún no se habían conocido, pero en el siguiente ya me ha dicho mi yerno que salgo, y yo le digo, pues date prisa que ninguno de los dos tenemos mucho tiempo para esperar. Los invitados se quedaron en silencio sin saber muy bien cómo debían reaccionar, hasta que Samuel empezó a reírse bruscamente y los demás interpretaron la risa como un permiso para celebrar el chiste de la anciana. Y rieron. Tal vez demasiado. A Eulalia no dejó de sorprenderle que su madre supiera cuánto dinero había cobrado Samuel por las memorias, hacía ya tiempo que le ocultaban ese tipo de informaciones, precisamente porque era capaz de soltarlas en el momento más inadecuado, casi siempre con un afán de presunción delegada. De forma magistral Samuel recondujo la conversación hacia el asunto de los adelantos. Él se divertía cuando eran los demás los que quedaban en evidencia, porque a pesar de la risa, Eulalia sabía de sobra que no soportaba ser el objeto de las impertinencias de su madre. Leonor siguió entonces con su juego. Volvió a la carga con Castellet. A la pregunta sobre el adelanto siguió un silencio espeso, y al silencio, la respuesta de Castellet, que sonó tímida, algo vergonzante, como si a sus sesenta y tantos años se viera reducido al niño que ha de confesar una mala nota ante su madre. El adelanto de Castellet era ridículo. Y eso que es posible que Castellet para mejorar un poco la cifra la hubiera aumentado ligeramente, pero aun así, era penoso oír de la boca de un escritor de su categoría una cantidad tan miserable.

Eulalia comenzó a servir la tarta procurando que los postres, la encantadora solicitud con que ofrecía los platos a cada invitado, terminaran de una vez por todas con el asunto del dinero. Pero tanto Charo, la actriz a la que habían invitado aquella noche, como Joaquín, el diputado socialista, Camino, Cortés, y los dos profesores de la universidad de Princeton, habían vuelto ahora sus cabezas hacia Pamies haciéndole ver que su turno había llegado. Todo el mundo sabía que Pamies ganaba mucho dinero, que era sin duda el escritor que más libros vendía, y por tanto, el mejor pagado, pero no hubo nada arrogante en su respuesta, al contrario, Pamies confesó su último adelanto casi con la misma vergüenza que Castellet. En cada una de esas dos cantidades se contenía el rencor de cada uno de ellos. En Castellet, el hecho de ser valorado por unos cuantos críticos que calificaban cada novela suya como una obra maestra, una obra, decían, que no hacía concesiones al lector ni a la comercialidad, había acabado por no halagarle, incluso le molestaba, éste era su secreto: hubiera preferido ganar dinero, gustar a los lectores y no andar siempre lampando. Pamies, por el contrario, deseaba un reconocimiento de orden superior, no el de los lectores, que parecían no saciarse nunca de sus libros y de los que, desde hace tiempo, literalmente huía, y se sorprendía a sí mismo contestando a sus felicitaciones con respuestas parcas, antipáticas. Pamies deseaba una palabra elogiosa desde un suplemento literario. Cuando dejó caer la exorbitante cantidad, Leonor exclamó: «¡Bravo!», aunque para no ser tomada por alguien de escasa sensibilidad, se volvió a Castellet, le tomó la mano y dijo: «Lo siento». En realidad lo que ella sentía, con una vanidad mal disimulada, es que únicamente su yerno parecía tenerlo todo, fama, dinero y reconocimiento. Ya no hubo quien remontara el ánimo de los dos escritores que se quedaron con la mirada perdida, cada uno rumiando su derrota o quién sabe si su venganza futura.

Tanto Samuel como Eulalia habían estado de acuerdo en que aquello no se podía volver a repetir. Aunque Samuel había disfrutado, repetía una y otra vez el interrogatorio al que su suegra había sometido a los dos literatos e imitaba las caras, el tono avergonzado de las respuestas. Hasta cuando se encontraron los dos en la cama con la luz apagada siguió riéndose. Una risa que se le mezclaba con la tos. Pobre Castellet, qué palo, pero ¿viste la cara que puso al decir quinientas mil, Lali, la viste?, pobre Castellet, menos mal que tu madre no se ha dedicado a la crítica literaria, pero sí, en la próxima cena hay que borrarla del mapa como sea. Continuaron las risas y las toses hasta que se quedó dormido. Un viejo malicioso que se ríe de las gracias de otra vieja aún más maliciosa que él. Eulalia tuvo este pensamiento pero lo borró de su mente porque temía que, como le siguiera la pista, tardaría mucho en dormirse. Esta noche ellos dos se habían librado pero con Leonor no se sabía, en cualquier momento te podías convertir en la víctima de su impudor. Samuel hablaba siempre de su suegra como de una anciana pero lo cierto es que Leonor sólo era seis años mayor que él. Ella acababa de cumplir ochenta y seis. A Samuel le venía bien que la vieja fuera tan impertinente porque eso la hacía parecer mayor que él, la gente suele atribuir el descaro de los viejos a esa segunda inocencia provocada por cierto deterioro mental, pero las salidas de tono de Leonor no eran consecuencia de ningún tipo de demencia senil, ella siempre había sido una mujer extravagante y tremendamente impúdica.

La solución era que Tere (la chacha a partir de esa misma tarde) se quedara a dormir en casa, cenara con ella, le diera conversación. De hecho ellas dos se entendían de maravilla. Comían habitualmente en la cocina porque el matrimonio siempre tenía compromisos fuera. No se podía decir que mantuvieran una conversación, más bien Tere escuchaba un interminable monólogo en el que salían a relucir los trapos sucios de ahora y también los del pasado. Leonor, por algo peculiar que había en su manera de narrar las cosas, podía convertir cualquier recuerdo en algo miserable, salvándose ella de la miseria a fuerza de embustes. Contaba cómo se había casado y enviudado dos veces, el dinero que le dejaron sus maridos, y sobre todo, la forma, un tanto heroica —según su relato—, en que ella fue capaz de sobrevivir, el ojo que había tenido al cazar a Gaspar, su segundo esposo, el ojo que había tenido su hija para arrimarse a Samuel. Tuvo de quien aprender, decía siempre. Todo, todo en su boca se convertía en algo tan frío que descargaba las historias de amor pero también de sufrimiento. Tan frío, pensaba Eulalia, como el hecho de que ella hubiera llamado siempre a su madre por el nombre de pila, nunca mamá, como si no hubiera existido ni embarazo, ni hubiera mamado de su pecho, ni hubiera llorado en sus brazos. Leonor nunca hablaba de los primeros años de vida de su hija, así que eso, sencillamente, no existía. Eulalia sabía que a diario corría el riesgo de que su madre le contara a Tere cosas que no debía, o peor aún, mentiras que había ido construyendo a lo largo de los años para maquillar un pasado en el que no quedaba muy bien parada. Pero hacía tiempo que había decidido pasar de eso, al fin y al cabo Tere escuchaba a su madre entre atenta y distante, como a veces se escucha a los viejos, sin dar mucho crédito a lo que oía, y sin demasiado interés. Eso a Leonor no le importaba, en realidad era tal su egocentrismo que no estaba muy interesada en captar cuál era la verdadera actitud de su interlocutor, ella sólo quería unos ojos que la miraran, una cabeza que asintiera y una boca que sirviera para darle la razón. Además, es posible que todos aquellos secretos familiares de los que Tere se enteraba a través de su madre no tuvieran mucho valor en la barriada en la que ella vivía. Su marido era un escritor célebre, sí, pero nunca podía despertar tanta curiosidad como si hubiera sido un actor, un futbolista, un presentador de televisión. Era una suerte haber encontrado a Tere. Ahora no se acuerda de quién se la recomendó. Sí, claro que se acuerda. Es que fue una cosa peculiar. Apareció hace dos años, cuando hicieron el traslado a la casa de Alfonso XII. El joven que capitaneaba la cuadrilla de operarios del servicio de mudanzas la vio tan agobiada organizando aquello que le dijo: si quiere, le traigo a mi novia que venga a echarla una mano, ella es muy apañada y nada la viene grande. Eulalia no se acuerda ni de haberle dicho que sí. El caso es que a los dos días Tere se movía entre los operarios y el caos de una casa a la que cada día le surgían problemas nuevos, como si siempre hubiera estado ahí. Y era cierto, nada le venía grande, nada parecía abrumarla. No era una chica excesivamente simpática, ni muy sonriente, pero había en ella una voluntad de agradar y un espíritu firme, muy resolutivo, que les hizo, a partir de ese momento, la vida mucho más suave. Despidieron a la muchacha anterior, y en su lugar se quedó —Eulalia decía siempre: y toco madera— la presencia gatuna de Tere, que se deslizaba con sus mopas y sus paños entre los muebles sin hacer ruido, como un fantasma. Incluso parecía que el teléfono sonaba menos, y es que ella se apresuraba a contestarlo para no perturbar el trabajo del señor. A veces Eulalia le preguntaba, qué tal con tu novio. Y ella decía, ahí sigue, con las mudanzas. Pero no añadía mucho más, se percibía, eso sí, que a pesar de que debía andar por los veintiséis años no tenía muchas ganas de casarse. Él sí, él sí que quiere, pero yo sin piso mío propio no me caso, así que no le quedará más remedio que esperar. No sabía mucho más de ella, entre que Tere era de pocas palabras y Eulalia no estaba casi nunca en casa no se puede decir que se conocieran demasiado. Sí, sabía que vivía en un piso alquilado en San Blas, e imaginaba que debía ser muy pequeño. Una vez la oyó comentar mientras pasaba la mopa al suelo del salón: toda mi casa entera es la cuarta parte de esta habitación, una se acostumbra a esto y luego ya no sabes cómo menearte en un sitio tan chico. Fue curioso porque Eulalia pensó que la frase iba dirigida a alguien, y se asomó para ver quién era el interlocutor; le extrañaba que Tere estuviera manteniendo ese tipo de conversación con su marido, más bien le resultaba chocante esa muestra de confianza en ella, siempre tan reservada, y allí la vio, en medio del salón, sola, apoyada en el palo de la mopa, en una actitud de reflexión muy intensa. Cuando Tere se dio cuenta de que involuntariamente había expresado un pensamiento en voz alta se puso a limpiar con cierto rubor, como si hubiera sido pillada en un renuncio, en la confesión de un deseo secreto.

No había sido fácil para Eulalia hacerle entender a su madre que esta noche ni cenaría con ellos ni saldría tampoco a saludar a nadie. No exactamente porque Eulalia no se atreviera a imponer su voluntad, ni tampoco porque Leonor manejara la vida de su hija o tuviera demasiada influencia sobre ella, lo que resultaba difícil era borrar el escalafón que las dos habían respetado siempre: primero se atendía a las prioridades y los caprichos de la madre, y luego, si eso no perturbaba la vida de Leonor, la hija podía hacer lo que quisiera. Siempre es complicado borrar la naturaleza de la relación que se ha establecido con una madre durante la infancia, pero en este caso el peso que el egoísmo autoritario de Leonor había ejercido sobre su hija estaba presente hasta en la conversación más trivial que mantuvieran. Si para la madre era difícil admitir que algo se le estaba prohibiendo sin más, que si no aceptaba quedarse en su habitación sin moverse se le iban a poner las cosas difíciles en aquella casa de la que dependía absolutamente, también era difícil para la hija el solo hecho de imaginar a aquella mujer tan caprichosa manteniendo sus impulsos bajo control y quedando en un papel secundario, cenando, como ella decía, en la zona de servicio, con la chacha.

Por algo sería, pensaba Eulalia, que en la mayoría de las sesiones con el psiquiatra apareciera Leonor, de una manera o de otra. En una ocasión el doctor Millán le preguntó si no se había planteado jamás la posibilidad de que su madre viviera en una residencia de ancianos cercana a la casa. Eulalia se quedó callada, buscando una respuesta que no llegó a encontrar. No, no podría soportar la idea de desterrar a su madre. Para ella sería como un castigo, dijo Eulalia, y yo no podría evitar sentir lo mismo. Sólo podré estar en paz con mi madre el día en que se muera. Mientras, prefiero soportarla, o pagarle a Tere para que la soporte.

La pregunta que le hizo Leonor por teléfono mientras apuraba el último trago del café, más que irritarle, le hizo gracia. Quería saber si al menos iba a cenar la misma comida que había encargado para esa gente tan fina o que si ella y la chacha tenían que comer el sopicaldo que había quedado de la noche anterior.

—No, Leonor, comeréis lo mismo. Y, por favor, pregúntame ahora de una vez todo lo que quieras pero no me vuelvas a llamar porque me estás poniendo nerviosa.

—Tú es que te pones nerviosa con mucha facilidad, ¿te estás tomando las hormonas o se te olvidan?

—Cállate, qué tendrán que ver las hormonas.

—Que las hormonas influyen, ahora que se te está retirando, te faltan las hormonas y si te faltan las hormonas saltas a la mínima y la pagas conmigo, que yo, ya ves, yo estoy aquí toda la tarde sola sin meterme con nadie.

Eulalia piensa, ¿de verdad será tan perspicaz como para nombrarme aquello que más me puede molestar? Sacar el asunto de las hormonas a relucir no puede ser algo inocente. Son sus pequeñas venganzas.

—Tere no ha llegado...

—Son las cinco de la tarde, Leonor, y ya te dije que Tere llegaría a las siete y media.

—Me lo dijiste pero no me acuerdo. ¿Con quién has comido?

—Yo sola, he tomado algo por ahí —no le dijo por descontado que había comido, como todos los jueves, con Jesús.

—Pues tu marido se fue a las dos y todavía no ha vuelto, o a lo mejor ha vuelto y no me ha dicho nada. Yo no me he movido de la habitación para no molestar.

—No te hagas la víctima, Leonor, puedes irte al salón si quieres y te pones la tele.

—No quiero tele. A tu marido no le gusta que por la tarde ponga la tele del salón, y en la cocina tengo que ver la tele en una silla y torcer la cabeza para arriba, como si estuviera en un bar...

—Déjate de chorradas, y vete al salón si quieres, que a Samuel le da igual.

—No le da igual, asoma la cabeza y me pone caras. Me tenía que haber ido con Úrsula a La Manga para no molestaros. Si hubiera sabido que os molestaba tanto me hubiera ido a La Manga cuando ella me lo dijo, y no aquí que parece que me vais a acabar relegando a la zona de servicio y yo soy una señora, siempre he sido una señora.

—Pero si la última vez que te fuiste a La Manga tuve que ir a buscarte a los tres días. Siempre estamos hablando de lo mismo, me cansas.

—Porque Úrsula me llevaba al Hogar del Pensionista, que está lleno de abuelos analfabetos, sólo hablaban de la pensión y de política. Había mucha política. Y mucho sexo también. Hay viejas desesperadas, tú no te haces idea. Cuánto echo de menos a Gaspar.

Ella también echa de menos a Gaspar. Es el único punto en común que tienen madre e hija, Gaspar, el padrastro que siempre pareció un abuelo para ella, y un padre para Leonor.

—¿Me has comprado las pastillas?

—Ahora, cuando salga de aquí.

—¿Y dónde es aquí?

—Una tienda —antes de que le impacientara definitivamente preguntándole en cuál, le respondió—, en Elena Benarroch.

—¿Te has comprado otro traje?

—Una blusa.

—¿Cuánto te ha costado?

—Pero qué te importa.

—¿Me has comprado algo?

—Sí, algo te he comprado, algo te llevo —le mintió.

—Que no se te olviden las pastillas. Ya sabes que después de cenar me da flato.

—Vale. Ahora las compro. ¿Ha llamado alguien?

—Sí, pero como me pilla tan lejos de la habitación cuando llego ya han colgado. No me voy a quedar al lado del teléfono todo el tiempo. Tampoco soy la telefonista. Podía tener una línea en mi habitación porque con esta rodilla igual acabo en una silla de ruedas. ¿Cuándo vuelves?

—Ahora, dentro de una hora o así... Llama a Úrsula y hablas un rato con ella.

—Úrsula, quién encuentra a Úrsula en casa, ésa se va al Hogar a ver lo que pilla. No sabe ser viuda. Con la pinta de monja que tiene...

—Por favor...

—Luego dicen que el hábito hace al monje. Mírame a mí, pintada como una mona y con esta vida que llevo.

—Bueno, que te cuelgo, anda, hasta ahora.

Leonor la ha colgado sin despedirse. A Eulalia le da la risa. Pobre Úrsula, yendo al Hogar del Pensionista a ligar. A su madre sólo se le ocurren barbaridades. La dependienta se acerca a ella con los paquetes, le acaricia la espalda. Ya tienes mejor cara, le dice. Sí, es el café que me ha subido el tono.

Sería fantástico que Leonor se fuera una temporada con Úrsula a la playa. Pero no, a Leonor le gusta estar en lo que considera el centro de las cosas, que para ella es Madrid, y eso de La Manga le parece un programa para viejos de menor categoría. Úrsula y Leonor podrían pasar por hermanas, y sin embargo, qué cómico que sean madre, bueno, madrastra, e hija. Todo en su familia acabó siendo cómico. Cuando Gaspar se casó con su madre era ya casi un anciano, así que los hijos de su padrastro, Úrsula y Fausto, siempre parecieron tíos de Eulalia, nunca hermanos. Se vio felizmente arropada por un montón de adultos que sustituyeron a una madre que pocas veces ejercía su papel, sobre todo arropada por Gaspar, que la quiso con la misma ternura y falta de autoridad con la que se quiere a los nietos. No cree haber querido tanto nunca a nadie. Gaspar murió hace doce años y prácticamente se acuerda todos los días de él. Se fue con la misma dulzura con la que apareció en sus vidas.

A la presentación del último libro de Samuel (el del célebre adelanto) acudieron todos, Leonor, por descontado, Fausto y Úrsula. En la cena que organizó la editorial después del acto la diferencia de edad que todos tenían con Eulalia provocó muchos equívocos y algunas risas. Samuel tiene la teoría de que todas las presentaciones a las que acude gente de la familia por muy bien que empiecen acaban convirtiéndose inevitablemente en una boda, y así fue. Alguien dijo, no sin sorna, que la que parecía más joven de aquella extraña recua familiar era Leonor y ésta se levantó, emocionada, alzó la copa, y dijo algo así como: «Mi hija siempre se educó entre gente mayor y debió tomarle el gusto porque mi yerno aquí presente no es lo que se dice un chaval, es un hombre que está bien, para mí está bien, vaya, que no es un jovencito...».

La gente interrumpió con las risas.

«... pero quiero decirle algo a mi hija: Eulalia, hija mía, no cantes victoria, no siempre serás joven, ni tampoco la más joven. Acabarás siendo igual de vieja que nosotros. Llegarás a tener nuestra edad y nosotros te estaremos esperando, tan frescos.»

Lo terrible del asunto es que había algo de cierto en esa afirmación, hacía años que a Leonor no se le apreciaba ningún bajón importante, salvo el asunto de la rodilla, una artrosis de la que se acordaba según los días. La vejez la había desprovisto de carne, y a pesar de que en un primer momento se la podía ver frágil, porque era bajita y delgada, la forma de moverse cambiaba de inmediato su apariencia porque era bastante ágil, enjuta y firme como un palo. No había en ella nada que presintiera una muerte cercana. Una vez que Leonor y Samuel estaban en el portal esperando a Eulalia, al principio de su llegada a la casa de

Alfonso XII, unos vecinos se acercaron a ofrecerles su hospitalidad. Les tomaron en todo momento por marido y mujer, hasta que Samuel intervino, molesto pero educado, para deshacer el malentendido. Eulalia no se enteró de esto por su marido, al que seguramente molestaba en su orgullo masculino esa situación tan embarazosa, pero Leonor se encargó de repetirlo varias veces en la comida gozando sin duda por haber sido considerada la señora de la casa. Después el incidente no se volvió a nombrar, no porque Leonor lo olvidara, ella no olvidaba nunca, sino porque Samuel le dijo algo muy grosero, algo que le dio a entender con claridad que si volvía a repetirlo una vez más esa misma tarde la pondrían camino de La Manga.

De todas formas, pensaba Eulalia, a Samuel no le venían mal esas curas de humildad. Su posición en la vida, el respeto, o mejor dicho, el miedo que provocaba en su entorno social, que fomentaba practicando un sarcasmo innecesariamente despiadado, le otorgaba a veces una autosuficiencia que le hacía olvidar que, como cualquiera, él también era mortal. Es cierto que cuando ella comenzó a salir con él, mejor dicho, a acostarse, porque su relación fue clandestina durante un año —Samuel tardó bastante en separarse oficialmente de su mujer—, él poseía todavía una gran capacidad de atraer a las mujeres, una mezcla muy poderosa de inteligencia y masculinidad, pero su atractivo había mermado en estos últimos años, y no se podía decir que las mujeres jóvenes con las que él coqueteaba le siguieran el juego por sus encantos físicos sino por el indudable magnetismo que provocan los hombres relevantes del mundo de la cultura. No los que se encuentran a medio camino de la gloria, como en el caso de Castellet, sino los que la han tocado. Pero, con todo y con eso, Eulalia estaba segura de que hacía años que Samuel no había culminado ninguna conquista. Había oído muchas veces decir a su madre: «Gaspar, el pobre, que Dios lo tenga en su gloria, funcionó mal que bien casi hasta el último día, con lo mansurrón que parecía era un tío con un par de huevos, claro que yo no le iba a la zaga. Me apeteciera o no me apeteciera. Eso era lo de menos. Para un hombre que te da lo que él me dio, que nos sacó de donde nos sacó, es lo menos que podía hacer por él». La confianza que Leonor mostraba con su hija nunca había sido correspondida. Eulalia nunca le había contado ni le contaría a su madre ningún detalle íntimo, es más, le daba vergüenza escuchar esos secretos de alcoba de su querido padrastro. Evitaba, como si se tratara de un pensamiento sucio, que su imaginación se viera invadida por la imagen del pobre Gaspar funcionando hasta el día de su muerte encima de Leonor.

Tal vez como rechazo al exceso de impudor que había visto siempre en su madre nunca le gustaron las confidencias sexuales con otras amigas. Sólo había tenido verdadera intimidad con los hombres con los que se había acostado. Ahora se cuidaba mucho de contarle a nadie que hacía ya muchos meses que Samuel y ella no tenían ningún tipo de contacto físico. Pero eso no parece provocarles ningún malestar. Es algo que se ha dejado de hacer y punto. Desde hace dos años las insinuaciones empezaron a escasear, esa forma en la que Samuel le acariciaba los pezones debajo del camisón y que era un signo revelador de que esa noche quería tener relaciones sexuales. Y a eso hay que sumarle que hace siete meses Samuel sufrió una angina de pecho y se volvió más cuidadoso con sus emociones físicas. La última vez que Eulalia recuerda un polvo en toda regla, dentro de la lentitud con que Samuel abordaba en los últimos tiempos el sexo, fue la noche en que le dieron el homenaje en el Círculo de Bellas Artes, aprovechando la reedición de toda su obra en una sola colección. «Espero —dijo sonriendo en su breve discurso— que estemos celebrando de verdad la reedición de mis novelas, como me ha dicho el editor, y no que mi pequeño bache de salud les haya llevado a pensar que ya ha llegado la hora de brindarme los últimos homenajes. Mis amigos y mi mujer pueden estar tranquilos, mi salud es magnífica. Mis enemigos y mi mujer todavía no pueden cantar victoria, mi salud es magnífica».

Esa noche, animado por los whiskys, que Eulalia intentaba controlar con la ayuda cómplice del editor y de Jesús, Samuel subió pletórico a la habitación del Palace donde habían decidido quedarse para completar la celebración. Entró en el baño donde Eulalia se quitaba el maquillaje y se quedó mirándola. Tenía una fuerza juvenil en los ojos que no se correspondía con la vejez que ya había empezado a apoderarse definitivamente de su cuerpo.

Se acercó a ella, la abrazó por detrás y ella vio por un momento al hombre que había conocido hacía diez años. Además, era innegable que la atracción que sentía hacia su marido aumentaba enormemente cuando podía experimentar, como así había sido esa noche, de qué forma Samuel era objeto, más que de admiración, de reverencia.

Pero dejando de lado aquella vez aislada, tan pasional en sus intenciones como breve en su duración, el dique hace tiempo que está seco. Y a ella, la verdad, le ha resultado un alivio. Es como si de pronto, una vez consumada la conquista, una vez que entre los dos han construido una vida tan sólida, de tantos intereses comunes y tanta necesidad práctica el uno del otro, Eulalia se haya dado cuenta de que ya no hay razón alguna para hacer el amor con él. Ya no tiene miedo a perderlo. Tampoco parece que Samuel sienta algún tipo de frustración por no tener relaciones con ella. Por las noches, se acuestan, leen, se besan antes del sueño, y a veces incluso duermen abrazados. Se tratan, eso sí, siempre con respeto. Un respeto que lleva implícito cierto desapego. No hay ese tipo de reproches o malestar que genera en muchas parejas el seguir juntos habiendo desterrado cualquier intento de ser deseado el uno por el otro, y que de una forma u otra acaba siendo evidente a ojos de los demás. A ojos de los demás forman un matrimonio envidiable, a pesar de la diferencia de edad, o gracias a la diferencia de edad porque la gente que les rodea piensa que un hombre que ha sido tan caliente es natural que siga siéndolo hasta el final y necesita una mujer que pueda secundar sus deseos, no una anciana, como ya es Concha, la madre de los dos hijos del escritor. Y luego está eso, piensa Eulalia, la costumbre del coqueteo continuo con otras mujeres. Hubo un tiempo en que sintió celos, y rabia porque fuera algo tan descarado, pero ahora lo mira como mira la madre al niño que está enfrascado en una travesura venial, haciendo la vista gorda y dejándole jugar un rato. Los demás toman esa actitud medio maternal de Eulalia como la que debe adoptar una mujer inteligente, segura de sí misma, que permite al santón dar sus últimas coletadas de antiguo conquistador.

En cuanto a los deseos sexuales de ella, a veces piensa que los ha perdido. Se reavivan ligeramente en sus encuentros con Jesús, pero sólo ligeramente. En su interior siente vergüenza de estar acostándose con un hombre al que su marido adoptó bajo sus alas por la necesidad que tienen las personas relevantes de gozar de algún tipo de fidelidad incondicional, pero que en sí mismo no cuenta con demasiados encantos. Samuel lo aprecia de veras, como se aprecia a ese amigo que no te da demasiados problemas, que te acompaña y te admira, con el que nunca quedas mal, aunque le hagas esperar, aunque lo ignores en un acto público o no le cites en la página de agradecimientos, ese amigo que se mantiene siempre y sin queja alguna en una posición inferior. Los dos, tanto Samuel como Eulalia, habían estado de acuerdo en que era la persona más adecuada para llevar la Fundación y había hecho un gran trabajo, claro que sí, un trabajo, como le gusta a Samuel recalcar siempre, de hormiguita, y al decir de hormiguita, se puede apreciar en qué lugar sitúa verdaderamente la valía intelectual de su amigo. Pero a nadie se le escapa que Jesús Mora ha avivado el fuego casi extinto de las primeras novelas —bastante irregulares— del escritor y que su trabajo, poco clasificable, de agente, secretario, estudioso, ha provocado que se multipliquen las tesis en las universidades sobre ellas y las ediciones y el interés de la crítica. Puede que sea la amabilidad con que él atiende a cualquiera que vaya a pedirle documentación y ayuda sobre el maestro, sea quien sea, tanto para una edición como para un trabajo de instituto. Además de ese trabajo de alguien tan poco talentoso intelectualmente pero tan eficaz como una hormiga, Jesús desarrolló desde que está con ellos, va para tres años, una admiración a todo lo que rodea a su maestro, incluida su mujer. Puede que fuera precisamente esa adoración, y sólo eso, lo que le llevó a querer saber algo más de la intimidad del hombre al que dedicaba ahora su tiempo al completo.

Empezó un día que Samuel estaba de viaje. Después de la cena —era normal que Jesús cenara en casa—, Eulalia le dijo, anda, vamos a dar un paseo. Con Jesús era fácil hablar, era un hombre apacible, que parecía siempre interesado por lo que se le contaba. Eulalia le dijo, enséñame tu casa, nunca he visto tu casa, tú siempre estás en la mía, ¿no?, enséñame los misterios que guardas en la tuya, tú tendrás también una vida, como todo el mundo, ¿o es que tu vida sólo somos nosotros?

Pues casi se podría decir que sí, dijo Jesús, sonriendo.

Y ésa fue la primera vez. Hace ahora tres años. Una noche de otoño tan dulce que parecía de primavera. No se puede considerar un lío ocasional porque su amistad erótica, por ponerle un nombre a una relación tan peculiar, está basada en la regularidad. Los dos habían acordado tácitamente cuáles eran los días adecuados para verse. Los martes, coincidiendo con el día en que Samuel tiene la comida en casa de Zarraluqui; y los jueves, dependiendo, eso sí, de si el escritor ha quedado en Balzac antes de asistir a la sesión de la Academia. Dado que ambos, esposa y secretario, son los primeros en conocer los planes de Samuel, hace tiempo que asumen con naturalidad la posibilidad o imposibilidad de verse. Ésta es la razón por la que los comentarios que de vez en cuando Samuel le hace a Eulalia sobre su amigo cobran un sentido aún más inquietante.

—Mora es implacable con el orden, tiene mis artículos y entrevistas archivadas por orden cronológico y lugar de publicación desde 1950, dice que está preparando un libro con eso, bueno, que se saque un dinero. Toda esa manía por el orden le viene por no follar, y si folla, que a mí desde luego no me cuenta mucho, será una cosa que se haya planteado como algo higiénico, entiendes, como algo que hay que hacer para mantenerse en forma.

Este tío tiene que reservar los polvos para un día fijo de la semana porque a Mora le pone malo la improvisación. Te digo yo que Mora tiene marcado en la agenda el día que le toca, ¿no crees?

Eulalia se quedó callada pero al rato le dijo: «Tú qué sabes, qué sabemos nosotros de los demás, qué sabemos de lo que hace Jesús o de lo que hace la misma Tere cuando sale de aquí. Es normal que con nosotros tengan reservas, y contigo más, por respeto, porque saben de sobra que todo tiene que rondar siempre alrededor de tus cosas, nunca de las suyas».

Otro día le llamó «mi perro». Eulalia ya en la cama, leyendo y sintiendo cómo él hacía el recorrido nocturno previo a acostarse, fiel a sus crecientes neurosis, colocar las zapatillas paralelas dentro de uno de los cuadrados que dibujaba la madera del suelo, dejar un somnífero y un trozo de chocolate en la mesilla por si se despertaba en mitad de la noche, asegurarse de que quedaban bien cerradas las puertas de todos los armarios. Una ceremonia diaria que ella seguía con cierta molestia anticipativa y que le impedía concentrarse en la lectura. «¿Has visto las correcciones que me ha hecho Jesús?», le preguntó Samuel mientras, sentado al fin en la cama, comenzaba su sesión de respiraciones profundas, con las que estaba convencido —supersticiosamente— de que combatía el riesgo de infarto. «Estoy pensando en dedicarle el libro a él. A Jesús Mora, mi perro.» Se echó a reír y añadió: «Un día lo veo durmiendo debajo de nuestra cama, ¿no te lo imaginas ahí, en el cojín de *Miller*? El cuerpo de *Miller* y la cabeza de Mora». El pequeño salchicha al oír su nombre movió la cola y Samuel rompió a reír de nuevo.

Eulalia no puede evitar que el cariñoso desprecio, si es que esas dos palabras pueden ir juntas, que su marido desarrolla con Jesús le incomode de una manera paradójica: en vez de sentir piedad por su amante tiende a valorarlo aún menos, como si su juicio no consiguiera despegarse del juicio implacable del escritor. De todas formas, Eulalia no acaba de considerarlo su amante, no siente que esté siendo verdaderamente infiel. Tal vez percibe que este asunto nunca le ha provocado demasiada excitación, que podría prescindir de esos encuentros en cualquier momento, y aún más, que nunca le daría un vuelco a su vida por un hombre poco relevante, o tan inferior a su marido. Son cosas que jamás se atrevería a expresar en voz alta pero que piensa con firmeza.

Pero a pesar de que todo en esa relación secreta respira frialdad, ellos no han dejado de verse regularmente desde hace tres años. Comen primero en un pequeño restaurante marroquí que hay en la calle Lavapiés y donde tratan a Jesús como si fuera de la familia y luego suben a su casa, un ático decorado con esmero y una gracia muy especial. La primera vez que subieron Eulalia le dijo, si hubiera visto este piso sin que nos acostáramos habría pensado que eras homosexual, bueno, en realidad ya pensaba que eras homosexual.

Las paredes están forradas de libros y de discos y la habitación queda separada del salón por una estantería, así que nunca ha sido demasiado engorroso el camino hasta la cama, ni tan siquiera el primer día, en el que los dos estaban íntimamente asombrados por atreverse a hacer lo que iban a hacer. Jesús elige un disco. Como ya conoce los gustos de Eulalia, pone algo de Chet Baker o a Stan Getz, una música susurrante que ayude a una sobremesa sexual. Comparten un whisky y casi sin hablar y con los ojos a menudo cerrados echan un polvo lento y sin sobresaltos. Como si fueran un matrimonio que ha perdido la pasión pero no el cariño. Después, tras un sueño ligero, se visten, y ya vestidos, se ven en disposición de comentar cualquier compromiso pendiente de Samuel, cualquier petición a la que habría que contestar. Eulalia no llega a saber si él está secretamente enamorado pero carece de capacidad de apasionamiento, si ésta es su forma máxima de expresión amorosa, lo que sí parece claro es que ninguno de los dos echaría por tierra la cómoda posición adquirida al lado del escritor por tener la libertad de acostarse a diario.

Al psiquiatra no le ha contado nada de esta relación, nada, como si no existiera. Es como si ante ella misma quisiera borrar cualquier huella de su amante. No le gusta la idea de que el psiquiatra sepa que está liada con el secretario de su marido. Eso forzaría a que en las sesiones le dedicaran un tiempo al asunto, y no se siente bien con ello. Además, lo otro, su idea de que es absurdo fiarse de la discreción de nadie, y menos de la supuesta discreción profesional. No deja de ser paradójico, paga al psiquiatra para desahogarse y luego le escatima información.

Las bolsas con la blusa y los pantalones ya están preparadas pero Eulalia quiere hacer tiempo, falta media hora para que sean las cinco, tiene cita en la peluquería y ya no le quedan ganas de ir andando de un lado a otro cargada con los paquetes. Las pastillas de su madre... Que se fastidie, tampoco le pasa nada. El flato, el flato, se lo repetirá mil veces. A ver si le da el flato y revienta de una vez.

—Seremos doce contándonos a mi marido y a mí —le dice a la dependienta.

—No me extraña entonces que estés agobiada.

—Pero eso a mí no me agobia. No era eso lo que me ha... Voy bien de tiempo, tengo mi hora a las cinco..., pero es aquí a la vuelta, en Jacques Dessange.

—Dicen que ahí te lavan la cabeza tumbado.

—Sí, hay un chico dominicano que te da un masaje que te deja..., bueno, hoy creo que me voy a dormir. Menos mal que lo tengo todo organizado, me llevan la comida preparada.

—Ah, mucho mejor.

—Sobre todo cuando no son exactamente amigos los que invitas, que no tienes confianza para sacar cualquier cosa. Cuando vienen amigos parece que te gusta más preparar tú la comida, ¿verdad?

No sabe por qué dice eso, hace ya tiempo que vienen pocos amigos de verdad a las cenas, entre otras razones porque tanto Samuel como ella se aburren de la gente, les gusta explorar las nuevas posibilidades del mundo cultural y político y traerse a la mesa aires nuevos. Hacer descubrimientos. Las cenas se han convertido, voluntariamente, en una manera de conocer a ciertos personajes en primer plano. No sabe si los elegidos se sorprenden cuando Jesús les llama para invitarles, pero lo cierto es que su poder de convocatoria es muy alto porque casi nunca les ha fallado nadie, ¿a quién no le apetece conocer personalmente a Samuel, a quién no le halaga recibir una llamada de su secretario para acudir a su casa y pasar una velada con el escritor y con su mujer, Eulalia, de la que unos dicen que es encantadora y otros que es un bicho, que maneja todos los hilos de la obra y la voluntad del santón? ¿Quién no ha oído hablar de su colección de arte, modesta, dice siempre Samuel, pero interesante, que enseña a sus invitados con el orgullo del que se dejó llevar más por la intuición que por el verdadero conocimiento, pero acertó como ha acertado en tantas cosas en la vida?

Esos dibujos que fue adquiriendo a lo largo del tiempo son una prueba de su buena suerte. El hermosísimo retrato de Alex Katz, el dibujo a lápiz de una mujer de rasgos duros, enormemente atractiva, que Samuel compró en un viaje a Estados Unidos hace unos veinticinco años, y que es en realidad el boceto de un óleo muy cotizado. «Es mi preferido —dice—, cuando lo vi pensé que ésa era la mujer que desearía que me estuviera esperando. Al cabo de quince años conocí a Eulalia y lo primero que pensé es en lo parecida que era a *Ada*, así se titula el dibujo, es la mujer de Katz. Cómo no iba a dejar a Concha y a mis hijos por ella, era una deuda que tenía conmigo mismo. Pero fijaos, ¿os habéis dado cuenta del parecido que tienen las dos? Es prodigioso. Fue el único cuadro que me llevé de mi antigua casa. Así tiene que irse un caballero de los sitios, ¿no?, con las manos en los bolsillos».

Jesús Mora es el único amigo que asiste a casi todas las cenas, a no ser que haya demasiada gente, entonces él mismo opta por esfumarse, no hay ni que decírselo, aunque la verdad es que a Samuel le gusta siempre tenerlo cerca; es como su memoria andante, tiene la fecha, el dato repentinamente olvidado o la risa que uno espera después de una ocurrencia. Jesús sacia con discreción todas esas necesidades. A veces viene Gabi, el hijo mayor del escritor, y otras Marina. Con Marina todo es siempre más distendido, ella disfruta estando con ellos en casa, adora a su padre y tiene una relación de afecto sincero con Eulalia, que, por cierto, siempre pensó que sería al revés, que sería más difícil con la chica, por aquello del apego que tienen las niñas con sus padres, pero no, aquí se han roto los esquemas psicológicos. Puede que sea porque Marina es una mujer poco atormentada, que se sabe querida y se las ha arreglado para sacar provecho de la separación de sus padres. Tiene ya treinta y seis años pero está consiguiendo vivir una adolescencia interminable, incluso físicamente es afortunada, como lo fue su padre (tienen los dos en la mirada una tremenda cualidad juvenil), y un cuerpo grande, de huesos anchos, que gusta mucho a los hombres. Con un apartamento pagado por papá y una carrera más que incierta como pintora, se puede decir que Marina vive de las rentas paternas o del cuento, en todos los sentidos. Pero, por lo menos, no representa problemas, sólo gastos. Vive sin complejos sus ya más que dudosas capacidades artísticas. Cada cierto tiempo Eulalia y Samuel le montan una exposición y allí acuden personalidades de la cultura y de ese mundo de la judicatura que tanto le gusta a Samuel y que contrasta con esos amigos medio *naïf* de Marina que son un poco como ella, artistas que nunca llegan a cuajar, que van cumpliendo años sin tener oficio ni beneficio, en general niños de papá con veleidades artísticas y sin mucho talento. Todo el mundo valora la exposición de Marina muy positivamente pero nadie mueve un dedo por comprar un cuadro, salvo algún individuo, siempre lo hay, que se queda prendado de la belleza de la hija del escritor y que más que comprar el cuadro lo que está buscando es tirarse a la pintora. Marina se deja querer y tiene con alguno de estos admiradores fugaces un lío pasajero, le lleva a alguna de las cenas de su padre y luego lo cambia sin penas ni traumas por otro hombre. Lo que hay que reconocer, dice Samuel con una sonrisa entre divertida y condescendiente, es que es ella la verdadera obra de arte.

Pero Gabi es otra cosa. Conserva intacto el rencor que sintió hace ya más de diez años hacia su padre y la mujer que se lo llevó. Gabi está muy unido a su madre y aunque ha moderado sus desaires y sus groserías de los primeros tiempos, parece que forma parte de sus principios el no estar nunca demasiado a gusto con Eulalia, como si el hecho de relajarse y encontrarse bien fuera una traición imperdonable a su madre, que da más pena incluso porque es una anciana que nunca llegó a comprender por qué aquel marido al que había entregado su vida —al que había permitido tantos cuernos, tantas ausencias, por el que había renunciado a su trabajo como profesora de latín en la universidad para atender a sus hijos y la carrera literaria de su marido que le dio siempre tanto que hacer, cuando no existían ni los agentes, ni los secretarios, ni los ordenadores, ni tampoco el dinero que fue llegando luego— se marchaba sin considerar la enorme deuda que había contraído con ella. Concha se quedó con la casa, con los cuadros, con una buena pensión, pero sintió el vacío que dejaron los amigos, bueno, amigos, los conocidos del escritor, que poco a poco dejaron de visitarla, y acusó el silencio del teléfono que dejó de sonar cuando se hizo pública la nueva relación de su marido. Rehaz tu vida, le dijo él antes de marcharse, no te quedes aquí sola, sufriendo. «¿Que rehaga mi vida?, ¿pero eres imbécil?, ¿dónde tienes la cabeza —le gritó ella—, en qué mundo vives, pero dónde quieres que vaya con sesenta años, que busque a un tío de treinta, como has hecho tú?».

Bueno, las cosas han mejorado, sobre todo desde que Gabi, su mujer y sus dos criaturas se fueron a vivir con ella. Los nietos le llenan el tiempo. Pero aun así, aun habiendo, como aconsejó el escritor, rehecho su vida, hay algo que sigue doliéndole al hijo muy profundamente, a lo mejor incluso ya más que a su madre. Puede que sea esa evidencia tan cruel de que tras la estela del padre se fueron casi todos los amigos que habían disfrutado tantas noches de tertulia en la casa materna. El hijo siente como si su madre hubiera sido víctima de un robo y no hay pensión, ni cuadros, ni casa de trescientos metros cuadrados, ni lujos como el abono al Teatro Real que su ex marido le sigue pagando todos los años, que puedan reparar el daño causado. Y aunque, como dice Samuel, un caballero se marcha de casa sin nada, con las manos en los bolsillos —en los armarios quedó colgada su ropa y en ellos siguió, patéticamente, durante algunos años, en los que Concha quiso imaginar que él se cansaría de su nueva vida o que su nueva vida se cansaría de él—, y sólo se llevó, como único equipaje, el pequeño dibujo de Alex Katz. Esa presencia mínima, de 30x45, en el salón de su padre es como un desafío para el hijo. Un día, Eulalia le sorprendió mirándolo. Se apreciaba tensión en su voz cuando dijo: «Estaba en el comedor, donde yo estudiaba en los años en que hacía el bachillerato... No sólo lo eligió mi padre, también estaba mi madre en aquel viaje. Ella era la que entendía de verdad de pintura». La frase llevaba implícito el deseo de hacer ver que su padre no sabía tanto como hacía creer, y también, seguramente, pensaba Eulalia, dejar claro que su madre era una mujer muy cultivada, menos mundana que Eulalia, eso sí, pero más valiosa intelectualmente.

Es hora de irse. El portero de la tienda carga con todas las bolsas, incluidas las que Eulalia traía antes de Robert Steiger, donde se había comprado dos pares de zapatos. La dependienta le indica al portero que acompañe a la señora hasta la peluquería, que está a la vuelta de la esquina, en Claudio Coello. Ha empezado a llover y la señora lleva demasiados paquetes. No, le dice Eulalia al hombre, no se preocupe, ya me las apaño yo. Pero la dependienta insiste, haciéndole ver al portero que no se tiene que quedar ahí parado como dudando qué hacer. Ya está dicho, tiene que acompañar a la señora, llevarle los paquetes y cubrirla con uno de los paraguas enormes de la tienda, que para eso están. El portero y Eulalia salen a la calle, suben por Ortega y Gasset y entran en Claudio Coello. Eulalia se siente un poco incómoda al llevar a ese hombretón de uniforme a su lado cargado de paquetes mientras ella se refugia bajo la enorme sombrilla negra con las manos cerrándose el cuello de la gabardina. Suena de nuevo el teléfono móvil. Se para un momento, y el hombretón con ella. Empieza a buscarlo por el bolso, nerviosa. Piensa que si es otra vez Leonor lo apagará directamente. Pero no, no es Leonor. Es Tere. El hecho de que en la pantalla del teléfono aparezca el nombre del que llama la lleva a veces a iniciar la conversación directamente, sin saludos.

—Dime, Tere...

—Eulalia, quería..., tengo que hablar con usted...

—¿Estás ya en mi casa?

—No, estoy en la mía.

—Pero ¿saldrás ya dentro de poco? Mi madre está muy nerviosa esperándote..., oye, si no te importa, antes de subir, entras a una farmacia y le compras...

—No puedo ir a su casa —le interrumpe Tere.

—¿Cómo dices? Repítemelo, que se me va el sonido... Dime, qué decías.

—Que no puedo..., que no voy a ir.

—¿Y cómo vienes ahora con ésas?, ¿pero tú sabes el trastorno que me ocasionas?

—Tiene... Tiene que venir usted a mi casa.

—¿A tu casa, pero qué dices? No entiendo nada de lo que me estás diciendo. ¿Te pasa algo?

—Sí, me pasa algo —la voz de Tere se quiebra al decirlo. Eulalia nota por vez primera que la chica habla con dificultad, se da cuenta de que está a punto de echarse a llorar. Nunca le ha oído ese tono en la voz tan espeso.

—¿Te has puesto mala?

—No, estoy bien, no es eso lo que me pasa.

—Pues cuéntame de qué se trata, hija mía, que estoy aquí en medio de la calle en una situación... —Eulalia piensa, en una situación ridícula, porque se encuentra codo con codo con un hombre uniformado cargado de paquetes bajo un paraguas.

El hombre intenta parecer distraído mirando un escaparate de la acera de enfrente para que no quepa la menor duda de que no está escuchando la conversación. Pero es absurdo, dada la proximidad y el tono tan alto con el que habla Eulalia es evidente que es imposible que no se esté enterando de todo.

—Mira, Tere, tengo hora en la peluquería dentro de cinco minutos. Si me dices definitivamente que no vienes cancelo la cita y me voy a casa para intentar arreglar lo de mi madre, que ya sabes cómo puede ponerse cuando se entere de que tiene que cenar sola en la cocina. Pero me gustaría, por favor, que me dieras de verdad una razón importante por la que no puedes venir a casa. Es algo que hablamos hace ya más de una semana, has tenido tiempo para decirme si había algún problema, quiero suponer entonces que te ha tenido que ocurrir algo muy gordo para...

—Sí, es algo muy gordo, pero no puedo contárselo por teléfono.

—¿Te ha dejado tu novio?

—No.

—¿Te han asaltado, te han violado?

—No, es que por teléfono no puedo, ya se lo digo, no puedo.

—Bueno, pues nada, si es así algo tan... grave, te tendré que creer, pero me haces una faena, guapa. Si te parece, vienes mañana a casa y me lo cuentas, y ya hablaremos.

—No, no puede ser mañana. Se lo tengo que contar hoy.

—Pues si no quieres venir a casa ni tampoco me lo quieres contar por teléfono, ya me dirás cómo hacemos.

—Ya le he dicho. Quiero que venga usted aquí.

—Pero hombre, por Dios, ¿cómo voy a ir yo ahora a tu casa? No seas absurda. Me voy a la peluquería.

—Pero si me acaba de decir que si yo no voy a cuidar a su madre usted cancela la cita.

Eulalia miró al hombre del paraguas e involucrándole inconscientemente en la conversación le dijo en voz baja para que no lo pudiera oír Tere: «Me quiere volver loca», y éste asintió y murmuró un «desde luego».

—Mira, no. No voy a ir a tu casa. Ya bastante que acepto que te ha pasado algo, que me vas a dejar colgada, pero yo a las cinco de la tarde, perdona que te diga, pero no me puedo ir hasta el barrio de la Concepción...

—Es San Blas, San Blas.

—Bueno, pues San Blas, me da igual, no voy a ir ni a uno ni a otro.

—Es que tiene usted que venir —Tere se echa a llorar y empieza a hablar con desesperación—, tiene que venir. Déjelo todo, la peluquería y todo.

—Pero vamos a ver, ¿no hay nadie de quien puedes echar mano, una vecina, no puede acercarse tu hermana?

—¿Es que no se da cuenta?

—¿De qué?

—De que la que tiene que venir es usted.

—Yo, ¿por qué?

Tere no responde. Eulalia mira el teléfono para ver si es que se ha terminado la batería, pero no, todavía queda.

—¿Tere, estás ahí?

—Sí, aquí sigo.

—Bueno, vamos a hablar como personas mayores, ¿vale? Tú dime por qué tengo que ir yo y entonces iré, porque comprenderás que al decirme eso ya me estoy empezando a preocupar —Eulalia piensa que estas palabras van a surtir efecto en Tere, pero no oye más que silencio—. Si me adelantas algo, voy.

—No, señora. Sólo le digo que a nadie más que a usted le puedo contar lo que me ha pasado.

—¿Ni a tu novio?

—Ni a mi novio. No está en Madrid, pero vamos, si estuviera tampoco podría. Sólo a usted, y a usted también le interesa que yo se lo cuente, pero es que..., por teléfono... —vuelve a quedarse sin voz—. Venga, por favor.

—Anda, dame la dirección... Yo no sé a qué viene esto, de verdad que no lo sé.

El portero, que ya se siente autorizado a entrar en la conversación y escucha atentamente, le pregunta: «¿Quiere que le deje un bolígrafo, señora?»; Eulalia responde, como saliendo de unos pensamientos muy confusos: «Bueno, si tiene usted uno a mano, es que empezar a rebuscar por el bolso...». El hombre se saca un boli de la chaqueta y un papel con algo escrito: «Escriba ahí detrás sin problemas, eso ya no me sirve».

—La calle es Emperador Augusto, el número el 10, y el piso el 4° derecha. Si quiere le digo por la glorieta que hay que entrar, que el que no es de aquí y no lo conoce se arma mucho taco.

—No, déjalo —dice Eulalia bruscamente, no acaba de entender cómo puede alguien desesperado reparar de pronto en un detalle tan superficial.

—Pero ¿seguro que viene ya?

—Sí, seguro que voy. Voy y me estoy media hora y me vuelvo. No puedo quedarme mucho tiempo.

—Bueno, eso ya..., eso ya usted verá...

—Hasta ahora.

—Si se pierde, me llama, pero no tarde.

Eulalia cuelga el teléfono sin despedirse. Mira al hombre. Éste parece no saber qué decir pero al final decide expresar su opinión:

—Lo raro es que no le quiera decir a usted por teléfono qué es lo que la pasa porque esas cosas parece que le dejan a uno una angustia en el cuerpo...

—Desde luego —dice Eulalia, todavía sin moverse, mirando a un lado y a otro.

—Si quiere la busco un taxi.

—Pues se lo agradecería mucho, la verdad.

—Quédese usted mientras con el paraguas.

—No, por Dios, yo me pongo aquí debajo de la marquesina.

El hombre se lanza cargado de paquetes y con el paraguas a parar un taxi. Ve uno a lo lejos y le hace una seña levantando la mano llena de paquetes, luego vuelve a por ella corriendo, la acompaña hasta el coche, le mete todos los paquetes en el asiento y le dice con la cara de quien se teme lo peor:

—Y que no sea nada.

—Eso espero —le dice Eulalia con una sonrisa automática de cortesía. El hombre no cierra la puerta del taxi y ella entiende la razón—. Vaya, no tengo suelto para dejarle una propina. Ya lo siento...

—Otra vez será —dice, cerrando la puerta bruscamente. Y se queda parado, en medio de la calle, seguramente arrepentido de haber sido tan atento.

El taxi arranca. Eulalia se recuesta en el asiento y cierra los ojos. De pronto oye la voz del taxista:

—Pues si no me dice usted dónde vamos yo sigo to tieso...

—Ah, perdone, vamos a San Blas, a la calle Emperador Augusto, ¿la conoce?

—Uy, toda esa zona de emperadores..., eso es un desastre... Bueno, tiro para San Blas y allí ya vemos.

Y mientras el taxi avanza por la calle Ortega y Gasset, Eulalia se lleva la mano al estómago, presintiendo algo terrible y desconocido, pero ¿qué? Hace un esfuerzo para no dejarse dominar por la inquietud. Intenta pensar que hay pocas cosas en las que la vida de su empleada y la suya se cruzan. A lo mejor Leonor la llamó y le dijo algo, ¿algo como qué?, ¿algo desagradable? Podría ser, pero no cree que Tere se dejara intimidar por eso. No sabe si llamar a Samuel. No, mejor no, puede que sea Leonor la que conteste el teléfono. Por otra parte, imagina que si le cuenta a su marido que va camino de San Blas para hablar con Tere, él se burlará, le dirá, pero tú por qué te metes en esos líos, seguro que si le dices firmemente que no vas, ella no te presiona como te ha presionado, a la gente no hay que seguirle la corriente, tú tienes una cena por delante, tienes a dos camareros aquí dentro de tres horas y tienes que arreglarte tranquilamente, ah, y además tienes a una madre que a ver cómo la consigues dominar, porque ésa es otra; lo que debes hacer, si me dejas que te dé mi opinión, es llamar a esta chica y decirle, mira, me vuelvo para casa y o me dices qué te ocurre ahora mismo por teléfono o ya me lo dirás mañana, pero no tienes derecho a crearme a mí esta inquietud y este mal cuerpo que me has puesto. Tú le dices eso y luego te despides, adiós muy buenas, y le cuelgas el teléfono, y ya verás como al momento te está llamando para contarte lo que le pasa, pero es que a ti cualquiera te maneja, cariño, cualquiera te hace pasar un mal rato, y no se puede ser tan frágil porque la gente se aprovecha, y es sorprendente que te haya cogido el punto hasta la chica de servicio, eso ya es inconcebible... Dile eso, pero díselo y vente, que estoy a punto de atar a tu madre a las patas de la mesa de la cocina. Y por supuesto, si mañana la explicación que te da no te parece suficientemente sensata, habrá que pensar en decirle que se vaya, pero esto, otra vez, no se puede permitir. Y ahora vente, que te espero.

Sí, se imagina perfectamente todo lo que Samuel le va a decir si le llama, pero ahora no es sólo inquietud lo que ha empezado a experimentar. También tiene curiosidad. Lo que va a pasar, con seguridad, es que nada de lo que le cuente Tere será tan importante como para haberse dado ese paseo absurdo cuando tiene tantas cosas por delante que hacer esta tarde, pero siente urgencia por saber qué quiere confesarle, verla sin uniforme, en su propia casa, llorando. A lo mejor le ha quitado dinero. Sí, eso es posible, o alguna joya, o es su novio el que la ha obligado a robar, o es su novio que ha planeado entrar en casa... Marca el teléfono de Jesús Mora. Es el único al que le puede contar qué es lo que hace en un taxi camino de San Blas a las cinco de la tarde cuando debería estar en la peluquería. Ni la reñirá, ni se va a reír de ella. Cuando escucha la voz de Mora, diciendo, ¿Diga?, se siente reconfortada, la tranquiliza al momento, y piensa en que tal vez lo único que le falta a su amante para que ella perdiera la cabeza por él sería estar unos puestos más arriba en la escala social. Son cosas que nunca confesaría a nadie, pero que ve tan claras en su interior como ahora ve a través del cristal la lluvia que hace correr a la gente por la calle y que enloquece la ciudad.

Jesús Mora escucha atentamente la peripecia inesperada. Eulalia ha empezado a contarle la tarde que lleva desde antes de que la llamara Tere, desde el momento en que el mismo Jesús Mora la dejara con el coche en la calle Serrano esquina Ortega y Gasset, después de que ambos disfrutaran de un delicioso cuscús en el restaurante marroquí de Lavapiés y subieran al ático de Mora y echaran un polvo lento, dulce y amistoso, casi idéntico a los anteriores, los de otros martes como éste, y otros jueves, desde hace casi tres años. Es un buen amigo, piensa Eulalia. Tal vez es que el amor precisa de un componente muy fuerte de admiración y la amistad no, por eso siempre acaba considerando que es su mejor amigo, nunca su amante.

Si Eulalia utilizara el tono que corresponde al estado de ánimo en el que se encuentra ahora mismo su voz se proyectaría nerviosa, agitada, pero ella tiene la habilidad de aparentar lo contrario de lo que siente. Siempre hace un esfuerzo considerable por esconder su fragilidad, de forma que disimula la melancolía con una sonrisa, no cualquier sonrisa, no de absoluta felicidad, sino la sonrisa del escéptico que pone a mal tiempo buena cara;

cuando le toca contar un contratiempo, como es el caso, lo reviste todo de comicidad, como si quisiera rebajar de esta manera su propia angustia, quitarle gravedad a las cosas, no sólo ante los demás, sobre todo ante ella misma. Porque esta mujer, que ahora le cuenta entre risas y comentarios irónicos a su amigo que va en un taxi hacia San Blas, está asustada. Siempre ha estado asustada y siempre ha aparentado no estarlo, pero esta tarde especialmente, porque el no saber qué es lo que va a escuchar de su empleada de hogar la desconcierta mucho. Ha empezado a fantasear con que en casa de esta mujer pueda pasarle algo. Y en vez de decírselo claramente a Mora, mira, tengo miedo, ¿no se habrá vuelto chalada esta tía?; en vez de confesarle que no se fía de este encuentro tan chocante, se le ocurre pedirle un favor, porque mientras la Eulalia irónica, divertida, le describe la absurda situación en la que se había visto con el portero, el paraguas, los paquetes, la lluvia, la otra Eulalia, la que se mantiene oculta, imagina cómo hacer para que su amigo la tenga localizada en la dirección de San Blas por si, quién sabe, le pasa algo. Y por los retorcidos caminos de su pensamiento da con la solución, le pide a Mora que por qué no se pasa a buscarla con el coche en una hora y media, le dice, anda, te lo ruego, dime que sí, que voy cargadísima, además, entre unas cosas y otras saldré de noche, y no sé si me va a resultar fácil pillar un taxi en semejante sitio, dime que sí, así luego vamos para casa y nos ayudas a organizar aquello.

—No, si al final me vas a pedir que cene con Leonor —le dice Mora riéndose.

—Qué tonto eres, a Leonor lo que voy a hacer es hablarle claro esta noche y para siempre, o se comporta o se larga, quién te dice a ti que no es ella la culpable de todo esto.

—Sí, es muy posible —dice él—, vamos, casi lo más seguro.

—¿Has hablado con Samuel esta tarde? —pregunta Eulalia.

—Sí, sí, hablé con él nada más dejarte a ti, me dijo que al final había comido en casa y que se iba a la radio, que iban a grabar aquel programa especial... Creía que volvería a casa sobre las seis y media o las siete.

Eulalia y Jesús siguen hablando mucho rato, ahora ya sin nada importante que decirse, sólo por la necesidad de Eulalia de que ese trayecto, que está resultando pesado y mareante, entre la lluvia y el nerviosismo contagioso de los conductores, se le haga más llevadero. Han llegado a la calle Doctor Esquerdo, el taxi se detiene en un semáforo, a la altura del número 150, y sólo con ver esos tres números negros encima de la sencilla ornamentación de escayola que bordea la entrada al portal se sitúa en ese otro tiempo en el que al menos una vez al día llamaba al telefonillo o entraba con su propia llave. Cuántos años se repitió ese gesto, ¿siete años? Jorge sigue viviendo ahí, es posible que ahora mismo esté trabajando en su pequeño despacho, que da a esta calle, es posible que se levante para estirar las piernas y fumarse un cigarro al lado de la ventana. Puede que en este momento se haya levantado, molesto por los pitidos de los coches, y se quede quieto, asomado, mirando la lluvia que atasca el tráfico, viendo sin ver la acera al otro lado de su casa, el hospital del Niño Jesús, las fincas de los años cincuenta que tiene enfrente.

Mira pero no ve, como no ve el paisaje el hombre del campo que lleva toda la vida trabajando en el mismo huerto. No puede verlo. Siente tan sólo el paso de las estaciones delante de su ventana, las distintas tonalidades de la luz, pero ya no percibe belleza o fealdad en lo que tiene delante de los ojos. A lo mejor recuerda el día en que Eulalia le llamó desde el portal y le dijo, asómate ahora a la ventana. Ella cruzó la calle rápidamente y cuando él se asomó Eulalia ya estaba en la acera de enfrente, saludándole con la mano, sonriendo seguro, aunque él desde el quinto piso no lo apreciaba. Ella dijo: «Para que no digas que nunca se ve nada nuevo desde aquí». ¿Se acordará él de eso, a pesar de la separación, del posible rencor, de la voluntad de olvidarla, se acordará?

Sí se acuerda. Muchas veces, cuando mira por la ventana como ahora, ignorando que ella viaja en uno de los coches que están ahí parados desde hace cinco minutos. Se acuerda de su mano saludándole, de la sonrisa que no llegaba a apreciar pero que intuía, la sonrisa que subió en el ascensor, y le abrazó cuando él abrió la puerta. Una sonrisa verdadera, no esa mueca que ella suele dibujar cuando tiene miedo o cuando está nerviosa o cuando quiere causar una buena impresión. No sonrías tanto, le decía Jorge.

Lentamente el tráfico empieza a despejarse. Él no sabe que ella se aleja en uno de los taxis, que se pierde hacia la calle O'Donnell. Imagina, eso sí, que viviendo como viven en la misma ciudad sus pasos habrán estado a punto de cruzarse muchas veces aunque ya va para diez años que no se ven, desde aquel día en que se levantaron de la cafetería y salieron cada uno en dirección contraria y sin despedirse. Pero ahora piensa en ella. La está recordando muy a pesar suyo porque desde hace tiempo su esfuerzo diario se ha concentrado en olvidarla. Todavía no ha llegado el día en que su recuerdo no le duela pero por lo menos ya no irrumpe en su pensamiento, como antes aparecía, en los momentos que debían estar destinados a otras alegrías, a su vida con Julieta, por ejemplo, que no está pasando por los mejores momentos, o a su hija.

Ha sido un recuerdo a traición. Había empezado a escribir un texto sobre la radio en España en los años de la transición, y claro, ahí ha aparecido ella, tan real de pronto su presencia como lo es su ausencia.

La recuerda muy joven, entrando al antiguo edificio del diario *Pueblo*, quedándose parada delante de los antiguos ascensores del periódico, esos que no tenían puertas y a los que había que acceder en marcha. En el momento en que se instalaron, ¿los años cincuenta?, debieron provocar una sensación de dinamismo en el visitante que vería entrar y salir gente de los cubículos que incesantemente subían por un lado y bajaban por el otro, pero cuando Eulalia se paró ante ellos, en el que era su primer día de trabajo en la radio, ya estaban envejecidos, como todo, como los paneles inmensos de fotos en blanco y negro de las demostraciones sindicales que se hacían para orgullo del dictador y que decoraban las paredes de los vestíbulos y pasillos de aquella radio del Glorioso Movimiento. Uno se montaba con el inevitable temor de que se le enredaran los pies y quedara aplastado, o partido en dos, sin que diera tiempo a parar las inmensas poleas que movían aquello. No era raro que los primerizos o los invitados que habían sido citados en la radio, que se encontraba en los últimos pisos, se quedaran espantados ante la idea de tener que montarse en esos siniestros cacharros, contemplando de veras la posibilidad de subir diez pisos andando. Y no era raro, tampoco, que alguien ya experimentado, un empleado de la radio o del diario *Pueblo*, se ofreciera a darle la mano al indeciso y le ayudara a dar el paso de entrar y el de salir, que también provocaba un vértigo tremendo.

Jorge le preguntó a aquella chica que adónde iba y ella le dijo que a la planta décima, pero que... Jorge la tomó del brazo y la empujó suavemente al interior de una de las cajas. Fue la primera cara amable que ella vio en esa vieja emisora que aún no se había librado de su pasado franquista y albergaba a locutoras de voz antigua que hacían croché mientras estaban de turno y sólo se apartaban las gafas de cerca para mirar el gran reloj del estudio y dar, con tono engolado, el indicativo con el nombre de la emisora, la temperatura en el exterior de nuestros estudios y la hora, y a viejos locutores, entre los que había uno, de bigote guardiacivilesco, que se jactaba ante los más jóvenes de tener una pistola guardada en el cajón de su mesa, por si acaso. Y conseguía que los pardillos, los novatos, se quedaran preguntándose, por si acaso, qué. Porque algunos de ellos, los que sospechaban que los nuevos tiempos podían pronto desterrarlos, decían saber, de muy buena tinta, que la democracia se acabaría pronto y aquellos pasillos volverían a verse libres de melenudos, como Mariano Raca Raca o Paco Pérez Brian, que presentaban programas de rock y llevaban a sus emisiones a invitados indeseables.

Eulalia pasó las primeras semanas asustada, oyendo las barbaridades, pronunciadas a gritos, que salían de los despachos en los que aquellos funcionarios desocupados de la radio arreglaban la patria y echaban pestes de la sinvergonzonería que se había apropiado de España. En el arreglo urgente que, según estos nostálgicos fascistas, necesitaba el país, estaba incluido acabar, por este orden, primero con la politiquería, luego con esa nueva raza de periodistillas voceros de la peste democrática, y para rematar, con esos melenudos que presentaban sus programas de pie, como si fueran cantantes, dónde se había visto, y dejaban el estudio atufado, porque ninguno tenía la delicadeza de lavarse antes de salir de su casa. Había un momento en que el tema de la reorganización y depuración de la nueva infecta España se les acababa, entre otras cosas porque era un tema que se repetía todos los días. Y entonces rememoraban esos otros tiempos —no tan lejanos— en que la basura política no intoxicaba las conversaciones, y menos la radio, la gloriosa radio del Movimiento, donde todos los locutores sabían pronunciar con propiedad, no como estos periodistillas engreídos que vienen de la facultad queriendo echarnos y acabar con el verdadero espíritu de la radio, que está en las palabras bonitas, las peticiones del oyente, esa radio que debería servir para hacerle la vida agradable a la gente que no quiere líos y no quiere que le perturben con tensiones que van a acabar con todos nosotros, porque esto acabará mal, amenazaban, tiene toda la pinta. Aunque bien mirado, mejor que acabe mal para que las cosas vuelvan a ser como antes.

Y para sentirse compensados por tanto esfuerzo estratégico decidían bajarse al bar El Diario a tomarse el quinto café de la mañana o el quinto carajillo en muchos casos.

Eulalia los temía, tenían una forma de bromear ante las mujeres siempre burda, como si esa educación que, decían, se había perdido en los jóvenes y de la que ellos eran guardianes, no estuviera reñida con mirarle las tetas descaradamente a una estudiante en prácticas y hacerle algún comentario rijoso y desafiante para disfrutar con el azoramiento de la joven. Parece que había una especie de pacto tácito por el cual el acoso y la humillación estuvieran permitidos y casi aceptados como parte de la formación profesional de los nuevos trabajadores. Eulalia procuraba no estar a solas con ninguno de ellos, aunque fue inevitable que un día se encontrara con el individuo embigotado de la pistola en un despacho y que él cerrara la puerta para hacerle una proposición sucia. Ella se había quedado helada, sin tener aún la madurez, el aplomo que a una mujer le permite empujar al tipo a un lado y abrir sin más la puerta. Ella no sabía entonces nada. Se quedó temblando en mitad del cuarto y él optó voluntariamente por dejarla en paz y advertirle que seguiría intentándolo. Tampoco supo contestar a aquella locutora temible cuando le dijo, niña, sales del estudio y dejas un olor insoportable a sudor, ¿es que no te lavas?; no sabía ni siquiera defender a su jefe, Auserón, las veces en que se reían de él, contando anécdotas falsas de maricones. Luego se iba a casa inventando contestaciones secas, directas, inteligentes, y se prometía a sí misma que no volvería a dejar pasar ninguna grosería, pero a la hora de la verdad le faltaban rapidez y valor. Auserón le decía, no hagas caso, tú sigue tu camino, pero no les contestes, que tienen muy mala hostia y será peor, ahora están furiosos porque saben que están a punto de perder algo.

Él les tenía miedo, prefería estar a bien con ellos aunque a veces le colocaran en situaciones humillantes. Pero lo verdaderamente increíble ocurría con Jorge Arenas. Jorge parecía destinado a caerle bien a todo el mundo, incluso a sus enemigos. Nunca ocultó su filiación al partido (el partido siempre era el Partido Comunista), sin embargo, le respetaban, y él no tenía problemas en invitarles a un café, en felicitar por su santo a aquellas mujeres, que a Eulalia se le representaban más viejas de lo que eran, más gordas, más peligrosas. No podía decirse que hubiera algo descaradamente hipócrita en el comportamiento de Arenas porque no había gestos falsos, ni forzaba su amabilidad, sino que había nacido con el don de estar a bien con el enemigo, y de descubrir, sin dificultad, cualquier bondad en el otro que a Eulalia se le hubiera pasado por alto, ocupada, como estaba, en protegerse de un ambiente tan hostil.

Se cruzaba con Jorge por los pasillos. Él hacía un programa de información regional, bueno, en realidad, decía, hago un programa de corte y confección, porque en aquella radio que mostraba signos de agonía no había teletipos y él se tenía que esmerar recortando noticias del periódico. Se encontraban en el pasillo y él le guiñaba un ojo, se acercaba y le decía al oído: pasa de todo, dentro de un tiempo todos estos se habrán ido a tomar por culo, no quedará ni sombra de esto. Y Eulalia se sentía aliviada, no sólo por las palabras de aquel chico del que estaba empezando a enamorarse, sino por la delicadeza con la que la trataba su jefe directo, Pedro Auserón, un hombre mayor que hacía una revista de espectáculos, y que probablemente debido a su homosexualidad renegaba de aquellos machos fascistas que habían decidido dedicar sus últimos años de trabajo a no dar ni clavo y joderles la vida a los que llegaban.

Auserón la llamaba la niña. Bueno, todo el mundo la llamaba la niña, pero en boca de Auserón sonaba paternal, nunca despreciativo como en las otras bocas. Mandaba a la niña con un casete a sacarle unas palabritas a Juanita Reina, que actuaba en el Cleofás, a Pajares en el Pasapoga, al Teatro de la Comedia para ver a Amparito Rivelles en el mejor de los casos o a Rosa Morena o Encarnita Polo, en el peor, según Eulalia. No era desde luego el tipo de reportajes con los que había soñado cuando entró en la facultad de periodismo y eso le provocaba sentimientos encontrados: por un lado, veía claro que aquello le hacía perderse la realidad más urgente, lo que de verdad estaba pasando, y por otro, no podía evitar la fascinación que le provocaban los lugares horteras, de cortinones y de espejos de una modernidad ya caduca, a los que su jefe la mandaba.

Auserón siempre le decía «Niña, escucha esto: no hay personaje pequeño. A ti seguro que te gustaría irte, lo sé, lo sé, al Rockola ese a hacerle entrevistas a los maricones estos que se han puesto de moda haciendo el mamarracho, pues que sepas una cosa, maricones haciendo bobadas ha habido siempre, aun con Franco, así que deja que los Racarracas se ocupen de los nuevos, nosotros nos quedamos con las mariconas antiguas, que si han resistido tanto tiempo engañando a la gente será por algo». Auserón llamaba maricona casi a cualquiera que saliera a un escenario, pero sobre todo a las folclóricas, a los humoristas, a los actores viejos. Y luego, al día siguiente, cuando Eulalia volvía con el material en el casete, Auserón quería que le contara con todo detalle qué es lo que había visto. La escuchaba con los ojos semicerrados hasta que le interrumpía la narración con alguna pregunta, como si fuera alguien que hubiera perdido la vista y tuviera que concentrarse en recordar el color de las cosas. A veces se impacientaba y preguntaba casi sin esperar la respuesta, otras veces le hacía ver que no sabía fijarse en las cosas, ¿cómo iba vestida Juanita?, ¿cómo que no me sabrías decir, pero para qué sirven los ojos a los veintidós años?

Eulalia aprendió a usarlos, los ojos, en cosas que en principio, precisamente por tener veintidós años, no le interesaban lo más mínimo. Sirvió de lazarillo para un ciego que se quedaba en casa, agazapado en su existencia misteriosa de homosexual retirado de la vida nocturna, de maricón sesentón y caballero que aún jugaba de vez en cuando a que le gustaban las mujeres, aunque supiera que no se lo creía nadie. Después de haberle preguntado a la niña por los más insólitos detalles, se colocaba delante del micrófono y contaba los espectáculos como si él hubiera estado allí, añadiendo a su crónica pequeñas maldades y anécdotas falsas que Eulalia escuchaba desde el control, sentada al lado del altavoz, pensando que desde casa los oyentes creerían que aquel hombre no tenía más de cuarenta años, un tipo maduro, lleno de experiencia, imaginarían también que aquella voz pertenecía a alguien que no se acuesta nunca antes de las cuatro de la mañana y que habría estado rondando de antro en antro, en esos lugares que parecía reservar Madrid sólo a aquellos que tenían una vida diferente, que vivían en las antípodas de un país que soñaba con atrapar el mundo moderno. Era paradójico que Eulalia empezara a sentirse atraída casi sin sentirlo por esa fauna extravagante cuando durante tantos años había rechazado a Leonor por su anacronía, por ser tan distinta a otras madres.

Siempre le había horrorizado que Leonor fuera a esperarla al colegio. «Tú te quedas en la esquina de la calle, que yo ya iré corriendo», le decía intentando que su madre no se acercara hasta la verja. Pero no había nada más inútil que pretender que Leonor no charlara con la gente. Cuando salía, su madre ya había pegado la hebra con dos o tres señoras. Si había algún padre, estaba claro, Leonor se decantaba por él. Prefería las compañías masculinas, con las mujeres acababa por aburrirse. Eulalia, a sus nueve o diez años, la observaba de lejos, retrasando el momento de acercarse a ella con el secreto deseo de que todo el mundo se fuera marchando y así evitar el tener que escuchar a Leonor decir pequeñas mentiras sobre la educación que le estaba dando a su hija, porque Eulalia lo supo desde siempre: su madre mentía continuamente, de forma compulsiva, sin que fuera necesario o bien porque decir la verdad le debía parecer más vulgar o porque su afición al juego le había dejado la costumbre de mentir. Parecía estar a gusto siendo extravagante, o a lo mejor es que no se daba cuenta de su rareza. Eulalia la veía entre las otras madres, y sentía vergüenza de ella, vergüenza incluso de que fuera más guapa que ninguna, con sus pendientes grandes, los labios finos muy pintados, el rabillo de los ojos hacia arriba y mucho rímel rizándole las pestañas. La encontraba siempre excesivamente pintada y perfumada. Nunca vio a su madre con las uñas sin arreglar, tampoco la vio vestir de cualquier manera. Leonor siempre parecía estar a punto de marcharse a una fiesta, y en realidad así era casi todas las tardes. Charlaba un rato con otras señoras, se sumaba a las conversaciones sobre la alimentación de los niños, sobre los tutores, el colegio, ese tipo de sabiduría que no se le escapa a casi ninguna madre, y lo hacía sentando cátedra, no había asunto que no dominara. Eulalia se quedaba callada, con una sonrisa demasiado estática para ser una muestra sincera de felicidad, y escuchaba a Leonor representar el papel de madre que nunca hizo en la realidad. Interpretaba el papel de la señora que hace desayunos, prepara potajes, ayuda en los deberes. Pero a la niña lo que más miedo le daba no era exactamente la impostura sino que alguien descubriera el vicio materno, la peculiaridad más bien —porque Eulalia no tenía edad ni para considerar que aquello podía llamarse vicio—, por la que Leonor salía de casa a las ocho o las nueve de la noche, una vez que la niña había cenado, para no volver hasta no se sabía cuándo. Le dejaba un teléfono, no siempre el mismo, con nombres de amigos de los que Eulalia había oído hablar muchas veces. La niña se metía en la cama y guardaba el papel con el número debajo de la almohada. De todas formas, le decía Leonor, si ocurriera algo muy, pero que muy urgente, sabes que puedes llamar a Charito. Charito, la hija de la portera, entraba sigilosamente en la casa a las ocho de la mañana y algunos días se encontraba a la niña sola. Asistía de una forma discreta, sin hacer comentarios, tal y como le habían enseñado, a las relajadas costumbres de la madre viuda. Eulalia nunca llamó a nadie, se acostumbró a dormirse sola y a vencer el miedo. Miraba debajo de la cama antes de acostarse, miraba dentro del armario y se tapaba la cabeza con las mantas. Tampoco le dijo a nadie que la mayoría de las noches estaba sola. Le daba vergüenza que los demás supieran que para su madre era más importante salir a jugar que quedarse con ella. Le daba vergüenza ser poco querida, procuraba tapar, disculpar, disimular el comportamiento materno y estaba segura de que lo conseguía. Lo que sus pocos años no le permitían saber, pues aunque había desarrollado ciertas astucias de niña solitaria le faltaba aún la perspicacia, era que Leonor mintió siempre pero nunca consiguió engañar a nadie.

Muchas veces, antes, claro, de que Gaspar llegara a sus vidas —y como le gustaba decir a Leonor, «las rescatara de aquel pisito inmundo, de la cochambre»—, Eulalia sintió llegar a su madre a casa por la mañana temprano, justo cuando la muchacha, Charito, la levantaba para ir al colegio. La niña reconocía la estela, que iba dejando por el pasillo de camino a la ducha, de perfume mezclado con tabaco y con el ligero sudor de las horas en vela; escuchaba su voz en la cocina diciéndole a la chica: «¿Te importaría hacerme unos huevos fritos con patatas? A ver si se me quita este mal cuerpo». La pequeña Eulalia entraba en pijama a la cocina, frotándose los ojos para disipar el aturdimiento del madrugón y veía a su madre con los zapatos quitados, frotándose los pies, delante del plato de comida. «Tómate unos huevos con Leonor, cariño —le decía—, que ya sabes que no me gusta comer sola, siéntate a mi lado». Y comían las dos como si fueran las tres de la tarde. A veces Leonor le comentaba, o más bien se comentaba a sí misma, cómo había ido la noche. Eulalia se veía como depositaria de confidencias de las que al principio no entendía nada pero que escuchaba con interés, y que fue comprendiendo con el tiempo al ser cómplice forzosa, por decisión de Leonor, que nunca había perdido el tiempo con amigas y se confiaba a su hija en todos los aspectos. Incluso Eulalia cree recordar que alguna vez llegó a confesarle alguna aventura sexual y si no le contó más, no fue por pudor, sino porque tampoco debía interesarle demasiado ni vivirlas ni contarlas.

Por aquella época solía lamentarse de lo mal que se le habían dado las cosas la noche anterior y culpaba a sus colegas como si en vez de un juego de azar estuviera hablando de un negocio normal y corriente que está a punto de quebrar. La realidad es que en cuatro años acabó con el dinero nada desdeñable que había dejado el padre de Eulalia, del que siempre se habló poco, porque la verdad, Eulalia lo supo más tarde, es que no habían estado casados, o mejor dicho, él sí que estaba casado y Leonor fue su amante durante mucho tiempo. La amante de un hombre que tenía dinero y podía permitirse tener dos casas, casi dos familias. Aunque aquel hombre favoreció en lo que pudo a Leonor en la herencia, no quiso darle el apellido a la niña. Eulalia se apellidaba como su madre hasta que Gaspar la adoptó. Pero la actitud práctica de Leonor ante la vida borraba cualquier posible autocompasión. No había en ella la más mínima voluntad de contar su historia como si se tratara de una telenovela, salvo si con las lamentaciones podía sacar algún beneficio.

Se acabó el dinero, Leonor hipotecó la casa y empezó a vender cosas, algún mueble antiguo, la cubertería, los dos abrigos de piel, y cuando las habitaciones se quedaron casi peladas, se acercó a un taller de joyería que había cerca del pisito de Pacífico en el que vivían para que la orientaran sobre la cantidad que podían darle si empeñaba las joyas. Leonor sacó del bolso los collares, el tremendo anillo de esmeraldas, el brazalete que su amante le regaló cuando nació la niña. El joyero miró a Eulalia, que andaría entonces por los nueve años, y tenía el aplomo del niño que sabe cuidar de sí mismo, que ha aprendido a no quejarse y a no mostrar asombro por nada de lo que ve o de lo que oye. «Me la he tenido que traer —le dijo Leonor al joyero cuando advirtió que la presencia de la niña en aquella conversación le parecía inadecuada—, porque no tengo con quién dejarla ahora por la tarde».

El joyero empezó a examinar las joyas con la lupa, una a una, con la delicadeza de quien es muy habilidoso. Las iba dejando sobre un paño rojo de terciopelo y cuando hubo terminado le dijo que, efectivamente, eran joyas muy buenas y que él podía comprárselas, que le iba a dar la misma cantidad que le darían en una casa de empeño. Leonor le dio las gracias y se echó a llorar. Todo son regalos, decía, pero, a ver, qué voy a hacer, soy viuda y con la niña, la pensión no me da para tanto... El joyero se quedó mirándola. Era un hombre de unos sesenta años, pero el pelo completamente blanco y unos hombros cargados hacia delante —más por la inclinación de su carácter a pasar desapercibido que por un oficio que le obligaba a mantener la cabeza agachada hacia la mesa de orfebre— le hacían aparentar algunos años más, tener la edad indeterminada de quien ya en su madurez ha empezado a parecer viejo. Leonor no tuvo que vender las joyas, aquel hombre era Gaspar. A su madre le gustaba alardear de su buena suerte, «claro que hay que estar bien despierta para que la suerte no pase de largo». En pocos meses, madre e hija estuvieron viviendo en la casita que Gaspar tenía en la Colonia del Retiro. Fausto, el hijo mayor del padrastro, ya estaba casado y con hijos, y Úrsula se casó muy tarde, pero cuando llegó Leonor no hubo ningún tipo de competencia entre ellas, al contrario, Leonor sentía que la providencia le había regalado aquella hija que más parecía su hermana y que se encargaba con tanta destreza de la casa, de las comidas, y de la niña.

Eulalia pasó a ser una de las ocupaciones de Úrsula, que la recibió como un regalo, pudo ejercer de madre sin tener que competir con su madre verdadera. Al principio, con la novedad de la boda, con la novedad de una situación boyante que a Leonor le permitía gastar, comprarse cosas, salir al cine, perderse todas las tardes en su mundo inagotable de boutiques y cafeterías, se olvidó del juego, pero la apacible vida conyugal con Gaspar le acabó sabiendo a poco y empezó a frecuentar nuevas amistades, de más alta categoría que las que la habían llevado a la ruina pero con el mismo vicio. Cuando regresaba, Gaspar y ella se liaban a discutir. Eulalia los escuchaba pelearse por la noche, desde la habitación en la que dormía con Úrsula. Una noche que las voces subieron de tono la niña se echó a llorar. Úrsula la cogió en brazos y la llevó a su cama. «No llores, cariño, no llores.» Eulalia le dijo: «Sólo quiero saber si me tendré que ir cuando Gaspar la eche de casa, ¿me tendré que ir? Dímelo».

A partir de esa noche no se oyeron más peleas. Con el tiempo Gaspar se resignó. Acordó una cantidad fija con Leonor para «su hobby», como ella lo llamaba y la nueva familia pareció acostumbrarse a que Leonor era diferente a cualquier madre, a cualquier esposa. Gaspar estaba profundamente enamorado de ella y, al fin y al cabo, por muy tarde que volviera Leonor por la noche, por muy cansada que estuviera o de mal humor a causa de una mala racha, siempre se mostró dispuesta a echar un polvo con su marido. Eulalia recuerda la puerta del dormitorio del matrimonio siempre cerrada con llave, cerrada hasta muy tarde los domingos, hasta la hora de comer. Y los celos que ella sentía al ver que su nuevo padre, aquel hombre que tan tierno era con ella siempre, tan complaciente, la olvidara en cuanto aparecía Leonor, guapa, perfumada, llevando consigo siempre ese ruido de tacones, y tan poco parecida a ella, su hija, que fue una niña más bien tímida, acomplejada, que comía bollos a escondidas para que no la viera su madre, «estás gordita, Eulalia, no tienes cintura, cariño, mira qué barriga, cuando te entren ganas de comer un bollo, déjalo y haz algo, un solitario, que es lo que yo hago». Casi ninguna de las cosas por las que la madre sentía pasión estaban al alcance de la niña: pintarse, jugar, fumar, beber una copa. Algunas tardes, antes de que Leonor saliera para una de las casas en las que tenía partida, miraba a su hija, como si de pronto reparara en ella, y le decía: «Venga, siéntate ahí, así aprendes y yo voy haciendo manos». Cualquiera hubiera dicho que la estaba ayudando con los deberes del colegio. Poniendo la misma atención que dedicaría una madre a ayudar a una niña en su cuaderno de cuentas, Leonor la enseñó a barajar con la destreza de un profesional, y la adiestró en los secretos de los distintos tipos de póker, del bridge, del mus. «Mientras juegas —le decía Leonor con el cigarrillo en una mano y las cartas en la otra—, no comes, hay que buscarse sustitutivos». Después de dos o tres partidas, se levantaba, se volvía a echar perfume, y le decía, «anda, dale un beso a tu madre, y pórtate bien, dentro de nada llega Úrsula, ponte la tele mientras, y le dices a Gaspar que ahí he dejado el teléfono de donde estoy, que si quiere que me llame allí, pero vamos, que yo vendré pronto, antes de que te duermas, ahora dime adiós por la ventana, y no te quedes tan seria que me haces irme con mal cuerpo». La niña se asomaba a la ventana del salón de arriba y la veía ajustarse el abrigo y echar a andar muy rápido, muy decidida, perdiéndose entre los hotelitos de la Colonia. Sabía que ya no la vería hasta el día siguiente.

Eulalia creció con la falsa madurez de los niños que desde muy pronto han cuidado de sí mismos, han estado muy solos, y han juzgado a sus padres a la edad en la que aún deberían estar admirándolos. Cuando era niña parecía adulta, y cuando fue adolescente, de tan consciente como era de las cosas, de tan responsable, a veces parecía demasiado inocente. Por eso cuando Pedro Auserón le pedía que abriera los ojos para ver lo que tenía delante, no tenía capacidad para ver que todas aquellas personas a las que seguía por la noche en sus primeros reportajes radiofónicos y a las que acabó por mirar con simpatía tenían mucho en común con su madre. Todas aquellas mujeres que visitaban las salas de fiestas —boîtes donde actuaban los malos humoristas o los cantantes demodé— acompañadas de sus maridos pero que por su manera de vestir, de pintarse, de arreglarse el pelo, largo y un poco cardado en la parte de atrás, siempre daban la impresión de estar esperando una oportunidad más jugosa. A veces eran actrices de varietés, que después de la función se tomaban una copa, o gogós que animaban la pista, también había locutoras de televisión, de las de entonces, que sólo servían para anunciar la programación, cantantes sin mucho éxito o, simplemente, señoras casadas que conectaban con ese mundo por su amor a la juerga, sin más. Nunca estableció la conexión entre la estética de aquel ambiente y la forma de ser de su madre. No hubiera podido sospechar que todo aquel mundo tan peculiar en el que ella se movía con timidez pero con alegría, con su casete en la mano, buscando no sólo a los famosos de poca monta sino a esos personajes que con unas copas de más cuentan historias fantásticas y desvergonzadas, fuera el mismo en el que su madre se perdía muchas tardes, cuando ella le decía adiós desde el salón de arriba y la veía desaparecer en las primeras sombras de la noche, dejando atrás un rastro de perfume muy fuerte, siempre el mismo olor a nardos, y el ruido de sus tacones, que también parecía sonar en el aire mucho después de que hubiera dejado de verla. Fue Jorge Arenas el que, con el tiempo, cuando ya estuvo casi integrado en la vida familiar de Eulalia, le señalaría el parecido. Y ella respondió con asombro y con rabia, como si un extraño viniera a descubrir una clave familiar que a ella se le escapaba y que prefería ignorar: la posible simpatía hacia la frivolidad de Leonor, una frivolidad que a ella le había hecho tanto daño y le seguía haciendo, aunque en sus primeros años de radio ya no sólo no necesitara su protección y su compañía sino que incluso le venía bien aquel desapego, en un momento en que estaba fascinada por la libertad de vivir, y era una ventaja no tener una madre asfixiante. En ese aspecto, no había peligro, Leonor estaba ausente, tanto cuando salía como cuando se quedaba en casa.

A veces su madre escuchaba el programa de Auserón, sobre todo porque se emitía a las siete de la tarde, que es cuando ella empezaba a pintarse. Probablemente conocía todos los lugares de los que hablaba el locutor, sitios de diversión antigua, como de un Madrid que se hubiera resistido a cambiar de época y continuara aferrándose a los años sesenta. Un día descubrió, de pronto, la voz de su hija, no porque Eulalia le hubiera dicho que trabajaba en ese programa. Leonor, que en ese momento tenía la boca semiabierta ante el espejo porque se estaba perfilando los labios, se quedó mirando fijamente la radio. «La nena...», dijo. Sería exagerado afirmar que fue el primer momento en que Leonor reparó en su hija, pero sí es cierto que cambió completamente su consideración hacia ella. Si Eulalia veía a su madre como alguien demasiado egoísta para ser maternal, Leonor siempre había visto a su hija como una especie de presencia fiscalizante. No había sido niña de tener rabietas o de dar malas contestaciones pero había desarrollado una capacidad inquietante de decirlo todo con los silencios, o con esas sonrisas que no expresaban simpatía sino reproche. Es como si los papeles hubieran estado cambiados desde el principio y Leonor en vez de haber traído al mundo a su hija hubiera dado a luz a su madre.

El hecho de que Eulalia, siempre tan grave ante los ojos de la madre, hablara de asuntos tan intrascendentes, de noches, copas, líos sentimentales, canciones insustanciales, provocó en Leonor un interés renovado. De alguna manera percibía que la nena hablaba de algo que las acercaba. Para Eulalia también fue una sorpresa que su madre la escuchara por las tardes y que empezara a rondarla por las mañanas, cuando ella estaba desayunando, se sentara a su lado con el primer cigarro del día, «es el que mejor sabe», y empezara a preguntarle detalles sobre Auserón. Ella le contestaba, sí, es guapo, interesante; ¿tan mayor como Gaspar?; no, menos; ¿cómo viste?; informal; ¿informal, pero cómo de informal, bien o informal desastrado?; pues bien, es un señor; sí, es un señor, un caballero, se le nota a la legua. Eulalia no le dijo nunca que era homosexual entre otras cosas porque Auserón nunca lo reconocía y tampoco quería que a partir de ese momento Leonor hablara de «tu jefe el mariquita», cosa que era bastante previsible. ¿Y no puedo ir un día yo a la radio a ver el programa?, le preguntaba Leonor; no, no se puede, no dejan; ¿no dejan?; pues yo me he hartado de ir a programas cara al público en la SER; bueno, pero esto no es la SER y aquí no dejan; pues vaya emisora rara, ¿y yo como madre tuya no puedo ir?;

que no, que la gente está trabajando y le molesta que venga gente de fuera a mirar; pues nada, parece que tienes algo en contra de que yo vaya; no tengo nada en contra, pero que no te empeñes.

Con el fin de que dejara el tema Eulalia empezaba a contarle dónde había estado la noche anterior, y descubría una curiosidad que nunca hubiera imaginado en su madre. Leonor preguntaba con la misma avidez de Auserón, protestando también a veces porque Eulalia parecía no tener ojos en la cara. Nunca llevó a la radio a su madre, por un lado siempre había temido que con algún comentario ordinario se retratara, quedara en ridículo, y por otro, sospechaba que el locutor se entendería con ella de maravilla, y eso la horrorizaba todavía más. Los dos eran vanidosos.

¿Te fue fácil entrar en el camerino?, le preguntaba Auserón, pero ¿tú habrás dicho que ibas de mi parte?, ¿le diste recuerdos a la Santpere?, ¿viste qué cara tan enorme tiene?, pero es muy simpática, la pobre, a mí me quiere mucho, en Barcelona no me dejó ni a sol ni a sombra. Le dirías a Carmen que es que estoy con lo de la espalda fatal, ¿no?, que estas mariconas igual que te quieren un día te desprecian al siguiente, son muy putas. Y acababa diciendo: a mí me quieren mucho porque me he portado toda la vida muy bien con ellas.

Siempre hablaba de un tiempo en que él, a pesar de que estaban acabadas y nadie daba por ellas ni un duro, les hizo entrevistas y contribuyó a su renacimiento como artistas.

Qué importaba si todo aquello era mentira. A Eulalia le gustaba escuchar historias de viejos cómicos, de cómicos ridículos, acabados, anacrónicos, o de cantantes que no tenían nada que ver con lo que a ella realmente le gustaba. Tal vez de ese gusto por las viejas glorias (que en muchos de los casos nunca lo habían sido) a Eulalia le empezó a rondar la idea de las biografías. Escribir biografías pero no de gente importante, no de los que han triunfado, les explicaba a Jorge y a Auserón, escribir sobre los que tuvieron un pequeño momento de gloria que se esfumó de pronto, sobre los que hacían cosas mediocres y pensaban que eran artistas... Jorge preguntaba: pero ¿qué quieres, escribir un libro para reírte de toda esa pobre gente?; no, al contrario, quiero dignificarlos. Eulalia se imaginaba ese libro al que ella dedicaría dos años en el que escribiría las vidas de esos *Ángeles caídos*, repetía constantemente, pensando que era un gran título y una gran idea, inventando teorías que a ella, por su juventud, le parecían nuevas, como que la historia con mayúscula la escriben los ganadores y la historia con minúscula los perdedores. Y creía firmemente que esas ideas que a ella se le ocurrían eran originales y nunca se le habían pasado a nadie por la cabeza. Auserón a veces le echaba la idea por tierra, y le decía que una artista maricona, por muy acabada que esté y por muy poco que valga, tiene una dosis elevadísima de vanidad, y que en el momento en el que alguien llamara a su puerta con la intención de hacerle una biografía, ya verías, le decía, te lo advierto, porque las conozco, te harían la vida imposible, te llamarían a cualquier hora, y además les acabaría pareciendo que tu libro es una mierda porque no retrata con fidelidad todo lo que ellas valen, y todo el éxito que han tenido. Jorge, en cambio, disfrutaba con la vehemencia con la que ella contaba proyectos que ya parecían estar sobre la mesa, camino de la imprenta, de las librerías.

Jorge, Eulalia y Auserón se hicieron muy amigos. Bajaban muy temprano a desayunar café con porras a ese bar de mala muerte llamado El Diario. Maxim, le llamaba Auserón, que no paraba de hablar y bromear por las mañanas, porque él era, a pesar de lo que había rondado por esas noches putas, un tipo de mañana. Eulalia y Jorge escuchaban con la devoción de principiante a aquel hombre que siempre se distinguió de sus compañeros de generación en la forma de vestir, sin corbata, más juvenil, con colores alegres que entonces chocaban para un hombre de su edad y le daban el aire amistoso, abierto, que atrae a los recién llegados, a los jóvenes pardillos que se arrimaban a él como se puede arrimar uno a una pequeña estufa en una habitación helada. Él les contaba historias de cuando trabajaba de guionista en el programa de Elena Francis, de cómo se inventaba las cartas siempre dramáticas y supuestamente reales que firmaban oyentes desgraciadas: Acuario, una mujer desesperada, una madre infeliz... Y de cómo escribía luego el consejo, siempre forzosamente decente y reaccionario, de doña Elena. Auserón se sentía feliz de rodearse de esos dos jóvenes inocentes que le escuchaban con tanta y tan inesperada atención. Con Eulalia hablaba más, salía más, la trataba como a una sobrina, se escapaban para ir a la perfumería, a comprar una colonia que Auserón tenía que regalar a su hermana por su santo, o un pañuelito para una de sus amigas locutoras en una de las mercerías rancias de la calle Huertas; pero a Jorge lo miraba secretamente, con la habilidad de quien ha pasado muchos años sin poder mirar a los hombres abiertamente y conserva el terror a ser tachado de lo que era y lo que parecía en muchos de sus gestos, un homosexual.

Auserón dio el primer paso para unirlos, pero luego Jorge y Eulalia empezaron a salir solos sin el permiso de «papá». Me ponéis los cuernos, les decía. Eulalia hacía sus reportajes nocturnos y muchas veces Jorge estaba en la puerta, esperándola. Otras veces era ella quien iba a buscarlo a la puerta de aquel local del Partido Comunista que estaba en un bajo semiindustrial que daba a un descampado, en el barrio de Moratalaz. Al principio no entraba, se quedaba en la esquina esperándole. Jorge se despedía de algunos de sus camaradas en la puerta y caminaba hacia ella con una sonrisa. Un día salió uno de esos camaradas, un joven con la misma pinta de Jorge, la chaqueta entallada de pana, la bufanda colgando, la camisa de cuadros, el mismo pelo largo con patillas generosas, y le gritó: «Pasa, hombre, que aquí no nos comemos a nadie», y ella entró con miedo de que no estuviera Jorge para echarle una mano en un ambiente que no había frecuentado nunca. Imaginaba una reunión, o una asamblea de esas en las que se discutía de asuntos como «la territorialización». Tenía miedo de que le hicieran alguna pregunta sobre asuntos ideológicos que, desde luego, sería incapaz de responder, igual que hubiera sido incapaz de leerse aquellos libros que tenía Jorge en el estante de su librería dedicado, como él decía, a su conciencia política. Pero no había reunión, sólo un grupo de amigos, entre ellos Jorge, acodados en la barra de un bar que había en la esquina de aquel local diáfano, más preparado para ser un taller que para animar a cualquier tipo de discusión política. Tomaban un carajillo, así a media tarde, con la voluntad, seguramente, de decantarse por las bebidas obreras. El cantinero era un hombre mayor, un camarada histórico, y los demás parecían estudiantes de universidad, tenían una soltura que a Eulalia siempre la intimidó. Ya el primer día uno de ellos le preguntó directamente, mirándola a los ojos, que cuándo se iba a sacar el carné. Ella miró a Jorge buscando amparo. Él parecía esperar sonriente el momento en que habría de salir a defenderla. Te gusta este tío, le siguió diciendo aquel joven camarada, pues que sepas que aquí nos gusta que nuestros afiliados se enrollen con afiliadas. Eulalia sintió cómo el color le subía a la cara y no supo contestar más que un tímido «Me lo estoy pensando», que sonó infantil y quedó ahogado por las risas de los camaradas. «Eh, dejarla, no seáis cabrones; y tú no les hagas caso —dijo Jorge rodeándola con el brazo—, ¿no ves que son tan listos que sólo saben divertirse a costa de los demás?».

La frase se hizo célebre, se la repitieron tantas veces cada vez que entraba a buscar a Jorge, que terminó por hacerle gracia. «¿Cómo va la cosa, Eulalia, te afilias o no te afilias?»; «Se lo está pensando», contestaba otro. Al cabo de los meses acabó siendo una asidua de aquel bar inhóspito, helado en invierno. Hablaba mucho con el viejo del bar, le pedía que le contara historias de la guerra, de su paso por el campo de concentración en Francia, y ella iba dibujando mentalmente la vida de aquel hombre, viendo cada vez con más claridad que sería otro de los personajes de su libro, que no tendría que decantarse sólo por los perdedores del mundo del artisterío.

Nunca se sacó el carné pero adquirió la condición de simpatizante. Cuando salían de allí ni el partido ni la política ocupaban mucho tiempo en la conversación entre ellos. Daban un paseo, hablaban, sobre todo hablaban, y los dos buscaban la manera de acercarse por fin el uno al otro. No todo sucedió tan deprisa como Eulalia hubiera deseado. Sabía que Jorge vivía solo y no entendía por qué él no acababa de proponerle que subieran a su casa.

La primera vez que Eulalia estuvo en la habitación desde la que ahora, tantos años después, Jorge Arenas mira la calle, fue también la primera vez que se acostaron juntos. Mientras Jorge se afanaba en organizar rápidamente una habitación caótica, donde los libros se mezclaban con la ropa, con algún peine, con algún envoltorio de chocolatinas y colillas que no se habían recogido desde hacía tiempo y que daban a la habitación un olor de tardes de estudio y de pereza, Eulalia vio en un rincón, contrastando con aquel desorden, una ropa juvenil de mujer, doblada, con varias bragas y sujetadores encima. ¿Tienes novia?, le preguntó; Jorge miró hacia la ropa que Eulalia le señalaba y se quedó un momento pensando, como si nunca hubiera reparado en su presencia, luego contestó: No, es de mi hermana; ¿vive contigo tu hermana?; no, qué tontería, no vive conmigo, no es de mi hermana, no sé por qué lo he dicho, es de..., de mi novia, bueno, hace ya dos meses que cortamos, y tiene que pasar a recoger esas cosas.

Los padres le habían dejado la casa, pero todo estaba tal y como ellos lo habían amueblado, con los muebles oscuros de formica en el salón, y las fotos familiares de rigor, la comunión de Jorge, la boda de sus padres, la boda de su hermana, los floreros, los pañitos, la cama de sus padres con la colcha de ganchillo. Jorge no quiso que lo hicieran en aquella cama de matrimonio, no, ven aquí, a mi cuarto, allí no me siento a gusto, ven. Y allí estuvieron, deseándose tras la larga espera de cuatro meses sin haberse decidido ninguno de los dos a dar el paso. Eulalia recuerda el olor a sudor masculino que despedían las sábanas, pensó entonces con ternura que él debía llevar sin cambiarlas mucho tiempo. Jorge recuerda el olor de Eulalia que en aquel tiempo era mucho menos sofisticado, el olor que despedía su cuerpo desnudo, la colonia barata, Azur de Puig, sin pretensiones, que se había echado aquella tarde antes de salir de casa.

Eulalia miró la hora cuando ya estaba a punto de dormirse, las cuatro de la mañana, y de pronto se acordó de que no había llamado a Gaspar para decirle que llegaría tarde. Se vistió deprisa y bajó con él a la calle a por un taxi.

Gaspar estaba levantado. Ella iba a disculparse, a inventar una excusa precipitada, pero él no estaba preocupado por la tardanza de su hija. Tu madre, le dijo, no ha venido todavía, ¿te dijo a qué casa iba hoy?; Eulalia hizo memoria, habían pasado tantas cosas desde que vio a su madre esta mañana. Sí, claro, se acordó, creo que acudían todos esta noche a casa de Pura.

Eulalia se acuerda de los hombros cansados de Gaspar, de haberle colocado el abrigo en la espalda vencida y haber bajado los dos en el ascensor, sin decirse nada, de volver a tomar otro taxi, y cruzar el Madrid desierto de un martes por la noche, de llamar al telefonillo de esa mujer, prácticamente desconocida para ellos, y sentir cómo al haber sido descolgado se colaban por él las voces lejanas de la gente que andaría poniéndose un whisky mientras esperaba el turno para sentarse a la mesa de juego o que estaba sirviendo algo de comer para que no acabaran todos absolutamente borrachos. Yo no quiero subir, dijo Gaspar, bájala tú. Y se sentó, viejo ya, en los escalones del portal. Eulalia entró en aquella casa odiando a su madre, como la odiaba cada vez que tenía que salir a por ella. Leonor la saludó desde el sofá: «Es mi niña, la conocéis, ¿no? Cariño, tendrás que esperar un poco porque ahora ya mismo me toca y es una pena que deje las cosas a medias. Estoy teniendo una noche increíble. Tómate una pulguita, que estás muy pálida». Eulalia recuerda haberse acercado a su madre y decirle al oído en un tono amenazante: «Gaspar está abajo, y no vamos a esperar. Ponte el abrigo que nos vamos». Leonor se levantó, les dedicó a todos un gesto de resignación, y dijo: «Mi mamá no me deja quedarme más, chicos, y ella sólo tiene una palabra». Eulalia la esperaba de pie, sin sonreír, haciéndoles ver a ella y al resto que aquello le desagradaba profundamente. Habría deseado que Gaspar hubiera montado un número en el camino de vuelta, pero sólo un hubo un ligero reproche. Leonor gimió como gime un niño que intuye no tener la razón de su parte. Eulalia se acostó, les oyó hablar durante mucho rato, le pareció que hacían el amor y sintió que inevitablemente su primer encuentro sexual con Jorge estaría siempre unido a los susurros y jadeos de otro amor, el que sentía Gaspar por su madre, que le provocaba un desagrado tan hondo.

Úrsula sabía que la nena frecuentaba el local del partido. Se lo había contado Eulalia, como le contaba tantas cosas. Tenía con ella la confianza que hubiera tenido con una hermana, pero claro, Úrsula andaba ya entonces por los cuarenta y cinco años, y aunque estaba encantada de mantener esa relación tan estrecha que habían conseguido casi desde que se conocieron, había cosas que escuchaba con preocupación, y no podía evitar advertirle, ten cuidado, a ver dónde te metes. El 23 de febrero de 1981 estaban a punto de empezar el programa cuando se enteraron de la entrada de Tejero en las Cortes. Les llamaron para decirles que se suspendía la emisión, que se fueran a casa. Auserón empezó a recoger sus papeles con las manos más temblorosas que de costumbre, y los dos, miedosos, salieron con la intención de marcharse a casa. Al montarse en el viejo armatoste sin puertas vieron la sonrisa de uno de aquellos compañeros franquistas, que les decía adiós con la mano. «Vete a casa —le dijo el viejo—, hay que irse a casa». Pero Eulalia se encontró a Jorge en el Paseo del Prado, decía que tenía que acudir sin más remedio al local del partido: «A lo mejor a nadie se le ha ocurrido que hay que esconder los archivos, ahí están los nombres y las direcciones de todo el mundo —le dijo—, ¿te vienes?», y ella, más por vergüenza a decir que no que por ganas, se fue con él. Cuando llegaron ya había cinco o seis que habían tenido la misma idea. Andaban repartiéndose rápidamente las cajas que contenían los archivos. Fue entonces cuando uno de los habituales de la tertulia de los carajillos le dijo a Eulalia: «Están ahí tus padres, que han venido a buscarte».

No podía ser que Leonor estuviera allí. Eso es lo que pensaba mientras iba a la puerta con el aturdimiento que le producía imaginar que su madre y Gaspar pudieran estar esperándola. Pero no. Eran Úrsula y Fausto.

Primero vio la cara de angustia de Úrsula y luego la de Fausto, que tenía un gesto más recriminatorio. Parecían sus padres, desde luego. Hubieran podido ser sus padres. A los ojos de Jorge, que estaba detrás de ella, cargado con una de las cajas del archivo, no cupo la menor duda de que lo eran, y más cuando oyó a Fausto decirle mientras la tomaba del brazo: «Vaya día eliges para venir aquí». A Eulalia le hubiera gustado contestarle, tú quién eres para darme la charla, quiénes sois para presentaros aquí y dejarme en ridículo delante de todos estos que tomarán buena nota de la escena y dentro de unos días empezarán a reírse de mí. Pero no dijo nada, se dejó llevar porque, en el fondo, también tenía miedo. No era lo suficientemente valiente para estar en ninguna lucha, ni para esconder documentos clandestinos, ni para correr riesgos por una ideología política de la que sólo conocía la superficie, y por la que estaba fascinada, sobre todo, a través del chico del que se había enamorado. Se dejó llevar por la mano severa de Fausto, que la guió hasta el coche, como si quisiera estar seguro de que no se le iba a escapar. Úrsula se acercó a Jorge, que aún seguía parado, cargado con la caja, y le preguntó, ¿eres el amigo de Eulalia, verdad, el de la radio?, Jorge dijo que sí con la cabeza, y Eulalia le sonrió, para hacerle ver que no hiciera caso de la aparente antipatía de Fausto. ¿Te llevamos a algún sitio?, le preguntó; no, muchas gracias, ya me cojo el autobús; sube al coche, anda, hoy es mejor no andar por ahí.

Y así se vio, sentado en la parte de atrás con la caja sobre sus piernas y Eulalia al lado, callada, avergonzada.

—¿Saben tus padres por dónde andas? —le preguntó Úrsula siempre maternal.

—Él vive solo —dijo Eulalia, cortante.

—Mis padres se fueron hace dos años a vivir al pueblo. Sí, vivo solo —en la voz de Jorge se manifestaba su continua vocación de agradar, o su mansedumbre, como pensaría Eulalia algún tiempo después, cuando se acabara el encanto.

—Si vas a estar solo en tu casa —le dijo Úrsula—, vente con nosotros. Vamos a estar oyendo la radio y cenando algo... ¿Qué más se puede hacer? Esperar, a ver qué pasa.

—No —saltó Eulalia horrorizada ante la idea—, se va a su casa, por si le llama su familia, además, no puede venir con la caja. La caja tiene que llevarla a su casa.

—Bueno, la caja puede esperar en el coche —dijo Úrsula.

—¡No! —saltaron los dos de pronto.

—¿Pues qué tiene la caja que es tan importante? —Úrsula preguntaba por preguntar, tampoco parecía realmente interesada.

—Apuntes —contestó Eulalia sin mucha convicción.

—Responde tú —dijo Úrsula volviéndose y mirando a Jorge directamente—, ¿quieres cenar con nosotros?

—Sí, no me importaría —dijo Jorge tímidamente, mirando de reojo a Eulalia a ver si recibía su aprobación—, vamos, que me gustaría.

—Pues no se hable más. Esta noche es mejor estar acompañado, ¿verdad, Fausto?

Las ramas desnudas de la hiedra abrazaban casi toda la parte frontal y a Jorge le impresionó aquella casita de principios de siglo, conservada con cierta negligencia, con la pintura verde de la cancela y la verja un poco oxidadas y un pequeño jardín frondoso más por la antigüedad y fortaleza de la parra, del cedro, de los bojes que dibujaban la subida de los escaloncillos de entrada, que porque alguien ocupara mucho tiempo en su cuidado. La luz de una lámpara de pie iluminaba el interior del salón y desde fuera Jorge vio la figura de un hombre mayor que miraba por la ventana. Tuvo una sensación inmediata de cobijo, se imaginó a sí mismo viviendo allí, de la misma forma que a veces uno sueña con casas que nunca ha visto pero por las que te mueves con naturalidad, como si llevaras mucho tiempo en ellas y conocieras cada uno de sus rincones.

—Éste es Jorge, el amigo de Eulalia —dijo Úrsula al presentarle a Gaspar—, éste es mi padre.

No pudieron darse la mano porque Jorge seguía abrazando su caja y así pasó al salón. En una mesa que había en uno de los rincones de la sala —mucho más pequeña de lo que parecía desde la calle— había una mujer de unos cincuenta años, muy puesta, excesivamente pintada tal vez para estar en casa, con un aspecto que resultaba chocante en aquel ambiente tan hogareño, tan convencional, y entre aquellas personas francamente sencillas, que no aparentaban ningún tipo de extravagancia ni en su forma de vestir ni en sus modales.

—Y ésta es Leonor —siguió presentando Úrsula—, la madre de Eulalia.

Jorge se quedó perplejo pero no preguntó nada, miró a Eulalia por si le sacaba de dudas acerca de la relación que les unía a unos y a otros, pero ella estaba todavía sin saber qué actitud tomar, miraba hacia otro lado, dando a entender que la situación no le resultaba cómoda. Poco a poco, fue descubriendo por sí mismo los vínculos de esa extraña familia de la que Eulalia nunca le había dado ningún detalle. Le había hablado a veces de su padre (nunca se había referido a él como a un padrastro) y siempre nombrándole con cariño pero sin mucho detalle; de su madre le contaba cosas de pasada, de esa mujer que parecía estar en otro mundo, casi de visita, sentada ahora en un brazo del sofá y picando de los embutidos que iba sacando Úrsula. Un concierto de piano de Mozart que surgía de la radio aportaba una cualidad melancólica al ambiente, que ya de por sí era como de otro tiempo, por las marinas que adornaban la pared al lado de la librería, los sillones orejeros de tela de cretona muy gastada, las lámparas bajas que dejaban en sombras algunas partes de la habitación.

La radio había sido colocada en el centro de una mesa baja, rodeada de cervezas, de vino, de queso y jamón. Todos la miraban con la misma atención con que se mira el fuego. De vez en cuando se ofrecían unos a otros más jamón, más vino. Hubiera podido pensarse que se trataba de una velada algo mortecina de una familia apacible, amante de las reuniones sin estridencias, de luz baja, música clásica, anochecederes dilatados en la sala común de la casa. Todo parecía dibujar una escena familiar casi pictórica, relajante, de no ser porque en los rostros de cada uno se transparentaba una angustia profunda que no llegaba a cuajar en ninguna conversación y que sólo se hacía evidente en el hecho de mirar a la radio, como si todos estuvieran esperando, así era, que de aquel aparato saliera algo más que música, alguna noticia consoladora, unas palabras que los sacaran de aquel desasosiego. Sólo Eulalia parecía advertir la presencia de la tele que, enchufada y sin voz, emitía una película de piratas. De vez en cuando, Gaspar, amablemente, por aparentar normalidad, le preguntaba a Jorge algún detalle sobre su trabajo en la radio, pero la conversación se desvanecía enseguida, como si nada tuviera suficiente interés para nadie. A Jorge le sorprendió la falta de vehemencia, o la escasez de esos juicios tan contundentes a los que él estaba acostumbrado en las discusiones que mantenía con sus camaradas del partido, o incluso con su padre cuando hablaba por teléfono, un comunista al que, sin embargo, le daba miedo la militancia de su hijo en el partido.

De pronto, Leonor se levantó y dijo: ¡Bueno, habrá que hacer algo! Se fue hacia la mesa del rincón y sacó unas cartas.

—Con tanta gente como hay aquí, supongo que no me veré obligada a hacer solitarios.

Nadie la respondió. Jorge advirtió, eso sí, el gesto de fastidio que a Eulalia le transformó la cara.

—Parece que no es el momento, Leo —dijo Gaspar dulcemente—, todos estamos... preocupados.

—Yo también estoy preocupada, una cosa no quita la otra. Yo también estoy preocupada —decía para sí misma pero sin demasiada convicción. De pronto, como si se le hubiera ocurrido una idea que antes no había contemplado, miró a Jorge—. ¿Y el invitado, no sabe jugar a nada?

—¿Yo? —dijo Jorge, sorprendido.

—Sí, tú, ¿a qué sabes jugar?

—Pero, déjalo... —dijo Eulalia.

—No sé, al cinquillo, a la brisca —dijo Jorge, pensando en los juegos en los que se entretenían su madre, sus tías.

—¡Al cinquillo! —exclamó Leonor entre risas—, ¿un joven como tú no sabe más que al cinquillo? Yo te hablo del póker, del mus... Juegos para pensar.

—Para el mus necesitas a cuatro —dijo Eulalia cortante.

—Mi hija quiere decir que los demás no van a jugar conmigo, ella decide por todos. ¿Al póker habrás jugado alguna vez? Al póker sabe jugar todo el mundo.

—Todo el mundo que tú conoces —dijo Eulalia.

—Eulalia —Gaspar la miró fijamente.

—Sí, claro que sé jugar al mus, es que pensé que usted me hablaba de otro tipo de juegos, vaya, quiero decir los que juega mi madre... —Jorge se fue acercando a la mesa sintiéndose idiota por la tontería que acababa de decir y sin saber muy bien por dónde iban los tiros, por dónde fluían las tensiones. Se sentó y miró a aquella mujer, tan ajena a mujeres como su madre, e intentó encontrar alguna similitud con la hija. Se parecen, pensó, o a lo mejor no se parecen ahora pero se parecerán.

—Úrsula, anímate —dijo Leonor, mientras barajaba las cartas—, ¿qué mal hay en esto?, no vamos a arreglar el mundo por quedarnos ahí esperando a ver qué pasa. ¿Tú qué piensas? —le preguntaba a Jorge, sin mirarle y sin esperar una respuesta, atenta sólo a la habilidad de sus manos que manejaban la baraja con delicadeza, adornadas por varios anillos, una esmeralda en una mano, un topacio en la otra, las uñas cuidadosamente pintadas de color granate, el tintineo de las pulseras que subían y bajaban y chocaban contra el cristal de la mesa, el ir y venir de la mano izquierda al cenicero y luego hasta los labios, la derecha espantando a veces el humo que ella misma expulsaba, el retoque casual del pelo, el gesto de subirse las mangas del suéter de vez en cuando. Jorge no era consciente de que no paraba de mirarla, como el niño que se queda mirando a ese invitado chocante que no se parece en nada a lo que él entiende por ser adulto, por ser madre o padre. Si había algo que uno no encontraba ni en el físico ni en la forma de estar de esa mujer era el menor indicio de la maternidad, ni por su cuerpo tan huesudo, que no parecía haber albergado nunca un embarazo, ni por la ternura que desprende o que se presume en una madre. Úrsula se sentó también y Leonor empezó a repartir.

—¿Nos jugamos algo? —preguntó.

Jorge notó cómo las miradas de Eulalia, de Gaspar, de Fausto, de Carmen, su mujer, se volvían hacia ellos.

—Algo simbólico —dijo Leonor mirando a Eulalia—. Yo le puedo poner el dinero al chico. No le voy a querer desplumar para una noche que viene a casa, sólo es para darle emoción a la cosa.

—No se preocupe, yo juego con mi dinero —dijo Jorge.

—Muy bien, así me gusta a mí la gente.

—Yo juego también —dijo de pronto Eulalia. Se arrimó una silla a la mesa como si estuviera decidida a cambiar un final previsible.

Ni Eulalia ni Jorge, ninguno de los dos, recuerdan haber visto al Rey cuando apareció en la tele. Sí se acuerdan de haberlo escuchado, de ver las figuras de Fausto y Gaspar, de pie, y muy cerca de la pantalla. La mujer de Fausto no estaba al lado de ellos, hacía ya tiempo que se había quedado dormida en el sillón del fondo y nadie la despertó. Pero es que a esa hora, a la una de la madrugada, Jorge sentía en el peso de los ojos las veces que Leonor le había llenado la copa de coñac y los cuatro jugadores parecían haber sido abducidos por el magnetismo del juego y el sopor del alcohol, por la tensión que provocaba Leonor con sus comentarios, recriminando a ésta o a aquél, sin importarle si era su hijastra, o su invitado. Eulalia se mantenía concentrada, sobre todo, en que no ganara su madre y, poco a poco, en pequeñas cantidades, el dinero fue yéndose hacia su lado, en montoncitos con los que ella jugueteaba de vez en cuando. Serían las dos de la madrugada cuando Jorge se levantó para ir al servicio. Recuerda la dificultad con la que caminó hasta la puerta y cómo se volvió un momento para mirar a Gaspar sonriendo y levantó el puño en señal de camaradería, de victoria, en un gesto que casi al mismo tiempo que lo hacía ya le parecía ridículo, de una confianza incongruente. Entró en el servicio y después de mirarse la cara pálida en el espejo con el gesto de estupor de los borrachos vomitó con unas arcadas sonoras y profundísimas que imaginó tenían que estar oyéndose en el salón. Cuando volvió todos se habían levantado. Notó la mano de Eulalia sobre la frente. Está fatal, le pareció escuchar. Y luego ya el recuerdo se pierde en la bajada de los escalones de la entrada del chalé, el frío de la noche, un viaje en coche que luego supo que era de nuevo en el coche de Fausto y otro vómito que no pudo controlar en el ascensor de su casa, sobre la caja de archivos del partido.

—Toma, esto es tuyo —le dijo al día siguiente Eulalia con una sonrisa—, es lo que perdiste anoche.

—Pero ¿por quién me tomas?

—Por un inocente. Pero ya me encargaré yo de que no se vuelva a repetir.

Se repitió muchas veces, se convirtió en algo normal que Jorge fuera a su casa, jugara con su madre, perdiera dinero o lo ganara. Fue el primer amigo que ella invitaba sin sentir, al fin, vergüenza de su familia. Hasta el momento le había resultado casi imposible superar la tensión que le producía el que Leonor hablara con sus amigos. Le gustaba mantener los dos mundos en compartimentos estancos, que no se comunicaran. Había preferido ir ella siempre a casa de sus amigas, integrarse en esas familias que le parecían normales, con madres vigilantes y padres que ejercían su autoridad. Se trataba de una vergüenza poco madura, infantil, la misma que sentía en el colegio cuando su madre estaba esperando en la puerta, o cuando era consciente de los complicados lazos afectivos que les unían a unos y a otros, del equilibrio siempre amenazado, por la sorda indignación de Fausto contra su madrastra, por el humillado enamoramiento de Gaspar, la observación atenta y vigilante de Úrsula, y el desdén hacia todos ellos de Leonor, que, viniendo de la nada, siempre se creyó por encima, de su marido, de sus hijastros, de aquella casa con la que ella nunca hubiera podido soñar pero de la que renegó casi desde el principio. «A mí me gustan los pisos —decía siempre—, los pisos con terraza y con portero, con un portero que te diga muy buenas y que te abra la puerta y te lleve las bolsas al ascensor y con el que comentes las cosas que pasan; no que aquí, ya ves, como te tires un día sin salir, estás como aislado, yo porque pongo la radio, que si no, me dirás tú a mí. A mí que me den pisos con portero, y con terraza». No era algo tan fuerte como el desprecio, era sólo desdén, el desdén de quien está convencido de que sólo a su manera se aprovecha la vida, jugando, saliendo, tomando copas, desayunando huevos fritos y cenando café con leche y tostadas, dejando siempre las obligaciones en manos de otros a los que de momento se agradece el detalle, pero a los que luego se mira de arriba abajo, porque Leonor sólo reconocía como su igual al que estaba dispuesto a divertirse con la misma intensidad y de la misma manera que ella. Un desdén que no estaba reñido con la comodidad de aquella vida regalada. Mostraba una actitud parecida a la que tienen los niños cuando se aburren, la rebeldía de quien sabe que tiene el cariño asegurado.

Era absurdo que Eulalia previniera a Jorge contra su madre porque él no acertaba a ver ninguna tara tan grave, ni siquiera en el hecho, que ella le intentó explicar, de que su madre no hubiera ejercido como tal. Él no podía considerar eso como un pecado, sentía hacia Leonor la simpatía que ella generaba en los extraños, la veía peculiar, diferente a sus padres (que ya habían sido diferentes por el hecho de haber sido siempre de izquierdas pero similares a otros padres por su gran vocación paternal), y eso no le inspiraba más que curiosidad, la curiosidad que le hacía ir allí algunas noches y observar a una mujer que, sin pretenderlo, sin responder a ninguna consideración ideológica, se saltaba las normas morales y comunes a todas las mujeres de su generación. Ajena incluso a su rebeldía, que no tenía nada que ver con la rebeldía que Jorge encontraba en algunas camaradas con las que trataba en el partido que, desde luego, habían tenido que luchar para imponer su presencia aun en un ambiente de izquierdas. La rebeldía de Leonor estaba basada en el capricho, en su forma de ser, no en ningún principio; la ideología siempre exige que trabaje la voluntad, y ella prefería dejarse llevar por las satisfacciones inmediatas. Alguna vez le preguntó a Jorge por el Partido Comunista, le dijo algo así como, «Y allí, ¿qué se hace?», pero él se daba cuenta de que ella se hartaba enseguida de la contestación, y de una manera tan evidente como inconsciente miraba al vacío, a la copa que tenía en la mano. Eulalia la reprendía: «Te están hablando», «Y yo estoy escuchando aunque no lo parezca, mira que la niña siempre...», y para demostrarlo repetía la última frase de su interlocutor, que en sus labios sonaba tediosa, sin interés. En cambio, volvía a la vida cuando ella contaba sus propias historias. A veces hablaba de lo que había sufrido. Yo he sufrido mucho, le decía a Jorge. Así empezaba. Si hubiera tenido en cuenta las miradas de escepticismo de su audiencia no hubiera seguido por ahí, pero ella era inmune al juicio ajeno, qué más le daba. Yo he sufrido mucho, empleaba un tono casi teatral, y narraba la historia de una joven viuda que para alimentar a su niña tiene que empeñar las joyas que le regaló el difunto. Leonor estaba tan poco atenta a los demás, que no pensaba ni un momento en que dos de las personas que allí había, Gaspar y Eulalia, sabían cómo se había perdido todo el dinero de la herencia. Pero no le importaba cambiar el pasado ni delante de sus propios testigos. Otras veces, que resultaban más relajadas para todos, hablaba de los viejos bailes de Madrid, ¿verdad, Gaspar?, de lo que le gustaba a ella bailar con orquesta o de los cuernos que una amiga suya le estaba poniendo al marido por despecho. En justa correspondencia, añadía siempre, en justa correspondencia, eso le digo a mi amiga, muy bien hecho, a los cuernos se responde con cuernos, ¿tú qué dices, Jorge?

Jorge no decía nada. Nunca le daba demasiado tiempo para responder. A Eulalia siempre le había extrañado que siendo su madre tan proclive a dejarse llevar por los placeres más inmediatos, no hubiera tenido líos con otros hombres y ninguna sospecha perturbara al matrimonio. Llegó a encontrar una explicación: a pesar de que Leonor se dejaba seducir casi por cualquier cosa que le divirtiera, tenía al mismo tiempo un espíritu endemoniadamente práctico, y mientras sabía que Gaspar había accedido a pagarle una mensualidad para sus cosas —sus cosas eran «el juego»— se daba cuenta de que no le perdonaría tan fácilmente una infidelidad, y en el fondo, ella estaba muy a gusto, había ido a dar con un hombre que siempre la mimaría como a una niña, aceptando su vicio, igual que ella aceptaba sin rechistar las exigencias sexuales de él. Algunos años después, le diría a su hija: «El que algo quiere, algo le cuesta. Me entiendes lo que te digo, ¿no? No me iba a poner estrecha».

Jorge no contestó a la pregunta de Leonor de si a los cuernos se debe pagar con cuernos, porque tenía un asunto pendiente que no había sabido o no había querido resolver. La ropa de aquella chica que estaba en su casa, encima de la silla de su habitación, el día en que Eulalia subió, seguía allí. Estaba en un cajón, como tantas otras cosas de Julieta, la novia con la que llevaba saliendo desde el primer año de facultad y que ahora sólo veía algunos fines de semana, cuando ella venía desde Londres, donde estaba estudiando un año. No fue esto exactamente lo que le explicó a Eulalia. En realidad se había perdido en tal confusión de explicaciones que cada vez le costaba más mantener la mentira. Sin saber cómo, se había acomodado a las dos. Los días de diario los vivía con Eulalia, trabajaban juntos y luego hacían el amor casi todas las tardes. Se acercaban al piso de Doctor Esquerdo a la hora de comer, se compraban unos bocadillos y luego echaban un polvo rápido porque tenían que volver a la radio antes de las cuatro. Pero, de vez en cuando, aparecía Julieta. Jorge hacía desaparecer las pruebas de las continuas visitas de Eulalia y pasaba con ella el fin de semana.

Tal vez esa obligación y esa angustia de tener que esconder las cosas de una y de otra fueron las que le enseñaron finalmente a ser ordenado porque sabía que si dejaba la cama sin hacer es posible que apareciera un envoltorio de condón entre las sábanas o una horquilla o las bragas de alguna de ellas. A veces se preguntaba cómo conseguía que ninguna supiera de la existencia de la otra, él hablaba en abstracto de «amigas», alguna vez hacía una referencia a una de ellas en presencia de la otra pero intentando que el tono empleado fuera lo suficientemente distante para no comprometerle. Lo más lamentable, pensaba, es que casi todo el mundo había acabado por enterarse menos ellas. Incluso sus padres, que era lo que le causaba más vergüenza, se veían a veces poniendo excusas inverosímiles cuando Eulalia llamaba a la casa del pueblo donde supuestamente había ido Jorge a verlos ese fin de semana. «A ti eso te parecerá bonito, pero te estás metiendo en un buen lío, y vas a salir escaldado», le decía su padre luego. No sólo les mentía a ellas, también mentía a sus amigos cuando les decía que no sentía remordimiento. Al fin y al cabo el remordimiento era la lógica consecuencia de una educación basada en valores cristianos. Ésa era la idea. Pero íntimamente, su conciencia no estaba tranquila. Por no confesar la verdad, una verdad podrida de tanto como llevaba sin decirse, y lo que es peor, por no saber realmente a qué o a quién quería renunciar, a Julieta, mujer ya, independiente, desinhibida, con la que había compartido tantas afinidades, amigos, discusiones ideológicas, viajes, porros y un lenguaje común, o a Eulalia, que le estaba apartando de su mundo habitual de barrio, de sus camaradas, que no tenía demasiada cultura pero sí intuición, que le descubría ese otro yo que de pronto se desvela cuando uno conoce a alguien en un camino no transitado hasta entonces. Eulalia le convertiría en otra persona, ya le estaba convirtiendo, cada vez frecuentaba menos a sus amigos de siempre, cada vez andaban más con gente de otra onda, más dispuesta a divertirse que a comprometerse, y él no tenía muy claro todavía si quería convertirse en otra persona, si le debía alguna fidelidad al mundo en el que se había movido desde la adolescencia.

El que engaña siempre vive con la angustia de la mentira pero también llega a pensar, inocentemente, que el silencio de los otros significa que sus mentiras están siendo consideradas como verdades. Eulalia lo sabía todo. Lo empezó a sospechar al poco tiempo de frecuentar su casa, sabía que la ropa de aquella mujer seguía allí, la había descubierto en el cajón, y había visto otras cosas, que aparecían y desaparecían, que dejaban constancia de que alguien iba y venía de vez en cuando. Hizo algunas preguntas y recibió las respuestas firmes y complicadas de alguien que está mintiendo. Dejó de preguntar y pasó a registrarle los cajones o entre los papeles, a leer alguna carta. Era lo primero que hacía cuando él bajaba a comprar algo, y en cuanto oía de nuevo la puerta, volvía a meterse en la cama. No le dijo nada. Tenía miedo a perderlo y además nunca parecía que tuvieran unas relaciones formales, no daban a entender eso en la radio, aunque la gente los veía salir juntos todas las tardes. Ella vivía esperando algún tipo de declaración.

Lo primero que reconoció, antes de verla, fue el sonido de los tacones. No sabría reproducirlo pero tenían su ritmo peculiar. Llevaba oyéndolos toda la vida. A veces despertándola de madrugada y otras muy temprano. Uno de los tacones chocaba con fuerza contra el suelo y el otro se arrastraba ligeramente, como si hubiera una imperceptible cojera. Al dar la vuelta a la esquina para entrar en el callejón de su casa, la vio, caminaba con las manos alzando las solapas del abrigo hacia la boca, protegiéndose de la noche fría y húmeda, con una lluvia tan fina que uno casi no llegaba a apreciar su caída sino en la humedad del pelo y de la ropa, del velo plateado que cubría la calle. La siguió durante unos metros sin llamarla, caminando casi de puntillas para que sus propios tacones no hicieran ruido. A punto estuvo de quedarse rezagada porque no le gustaba la idea de que se encontraran las dos en la puerta a esas horas, ¿qué hora era?, las tres de la madrugada. Pero entonces Leonor se volvió bruscamente, como si hubiera sentido una presencia a sus espaldas, se volvió y la vio, unos metros detrás, casi con el mismo gesto que ella, agarrándose al cuello del abrigo.

—¿Vas siguiéndome y no me dices nada?

Eulalia echó a correr hasta llegar a ella y ahora empezaron las dos a andar al mismo paso.

—¿De dónde vienes? —le preguntó Leonor.

—He estado con Jorge.

—Ya. Hace mucho frío. Son las tres de la mañana.

—Hemos estado en su casa. Y tú, ¿de dónde vienes?

—Vengo del hospital. Ingresamos a Gaspar esta noche.

—¿Gaspar?..., ¿qué le ha pasado?

—Le dio un dolor muy fuerte esta tarde en el estómago... Lo han dejado ingresado, le van a hacer unas pruebas.

—¿Y no te has quedado?

—Se ha querido quedar Úrsula.

—¿Quieres que me vaya yo para allá?

—No, mañana irás —dijo mientras buscaba las llaves en el bolso. De pronto dejó de hacerlo y se quedó mirando a su hija. Eulalia vio su cara cansada, las ojeras muy marcadas a la luz pobre de la farola—. No has estado con Jorge.

—¿Por qué dices eso?

—Porque llamó esta tarde preguntando por ti, yo le conté que Gaspar se encontraba mal y nos acompañó a la clínica.

—Ya.

—¿Estás con otro?

—Bueno, qué conversación. Nunca preguntas nada y lo haces ahora aquí... Me estoy muriendo de frío.

Leonor abrió la puerta. Cruzaron el jardincillo y entraron en la casa. Era extraño para las dos que Gaspar no estuviera esa noche allí, esperando.

—¿Jorge qué es, es tu amigo, es tu novio?

—¿Y eso qué importa?

—Me cae bien.

—No sé lo que es. De verdad.

—Pero te acuestas con él...

Eulalia no contestó. Empezó a subir las escaleras hacia su habitación. Oyó la voz de su madre a sus espaldas.

—Te acuestas con él y ahora vienes de acostarte con otro.

—¿Te he dicho yo alguna vez cómo tienes que comportarte tú? ¿Quién eres tú para darme lecciones?

—Eres siempre tan borde...

Cada una se metió a su cuarto. Leonor decía para sí: «Será falsa, toda la vida me lleva diciendo cómo tengo que comportarme. Toda la vida dándome la charla. Para ella no he hecho nada bien, no señor, para mi hija no he hecho nada a derechas. Pues para eso mejor que hubiera sido huérfana, ella se hubiera evitado tener una madre tan golfa y yo me hubiera evitado tener una hija que es una madre superiora. Yo no soy nadie para dar lecciones, pues claro que no, sólo estaba preguntando, que es que la molesto con todo, cuando me callo la molesto y cuando hablo la molesto aún más, que la den morcillas, con lo cansada que estoy, me cago en la leche».

Mientras se lavaba en el bidé, se cambiaba de ropa interior, se cepillaba los dientes, Eulalia la oía a través del tabique que separaba las dos habitaciones. Aún escucharía mucho rato los tacones yendo y viniendo del cuarto de baño, yendo y volviendo del salón para ponerse un whisky. Cuando se metió en la cama, aún la oía murmurar, como si hablara con esa tercera persona que estaba ausente, con Gaspar, que había comenzado esa misma noche a padecer el calvario de su enfermedad. Eulalia se tapó completamente, la cabeza incluida. Sintió el olor de su respiración debajo de las sábanas, se abrazó a sí misma, y pensó que algo había cambiado en ella, no de un día para otro, sino imperceptiblemente. Casi de la misma manera en la que entró en el sueño.

Nos damos cuenta de los cambios cuando ya se han producido, casi nunca en el proceso de transformación, nunca cuando las cosas aún pueden detenerse. Eso había pensado Jorge aquella tarde, cuando se dirigía en un taxi a casa de Eulalia, sabiendo que ella no estaría. Se había ofrecido a llevar a Gaspar al hospital con Leonor. Eulalia no aparecería en toda la tarde, de eso estaba seguro, y aun así había querido auxiliar a sus padres. No sólo le movía el afecto que les había ido tomando a lo largo de esos casi dos años en los que su presencia se había hecho familiar en casa de Gaspar. Había también un componente morboso en el hecho de ayudarles y hacer aún más evidente la ausencia de Eulalia. Morboso y masoquista, se reconoció a sí mismo, porque él sabía que ella iba a pasar la tarde con otro hombre. Los había visto salir de la radio a las cinco de la tarde desde el bar de enfrente. Pedro Auserón y él los habían visto. Ninguno había hecho ningún comentario. Pedro había suspirado, tal vez esperando que su joven amigo de una vez por todas tuviera un gesto de confianza con él. Pero no. Jorge se quedó callado, miró para otro lado y cuando pasaron unos minutos pagó la cuenta y se fue. Aún le dio tiempo a verlos pasar en el coche. Le pareció que estaban riéndose. Tuvo la impresión de que Eulalia tenía una cara distinta, como si esa risa fuera nueva, la de una mujer desconocida y atractiva a la que uno ve fugazmente por la calle, y la desea de pronto, como si tuviera la certeza de que podría ser feliz con ella.

¿Cuándo cambiaron las cosas, no sólo el rostro de ella sino todo lo que les rodeaba, el mundo caduco, rancio, en el que se conocieron aquella mañana en la radio, ese fondo de colores pardos en el que era tan destacable la juventud de los dos? No sabe si fue tan lento el cambio que era imposible percibirlo mientras sucedía o si fue tan rápido como para dejarlo a uno confundido. Quién descolgó aquellos paneles en blanco y negro de fotografías del Primero de Mayo franquista, cuándo se cambiaron aquellos ascensores de atrabiliario mecanismo y fueron sustituidos por unos modernos, rápidos. Desaparecieron. Igual que el portero, ex guardia de Franco, de tatuaje legionario en el brazo y bigote fascista, que probablemente fue prejubilado. Pero cuándo. Cuál fue el día en que se le sustituyó por esos guardias jurados que le saludaban a uno en la puerta de una forma neutral, quitándole a la garita ese aire de entrada cuartelaria que tenía. Cuándo cambiaron aquel linóleo parduzco y enmoquetaron los pasillos, y las mesas impracticables, grises, ministeriales, de la marca Romeo dejaron paso a un mobiliario ligero, y los despachos mezquinos se convirtieron en una redacción de programas, inmensa, dividida por paneles de cristal, y aquellas persianas viejas de láminas que llevaban años torcidas y medio rotas fueron arrancadas de pronto; cuándo aquel lugar hostil del que Eulalia y Auserón salieron un 23 de febrero muertos de miedo pareció llenarse de luz, como si se hubiera limpiado la mugre de cuarenta años que ennegrecía las ventanas y hubieran descubierto mágicamente unas grandes cristaleras en las que uno podía quedarse embobado mirando los tejados de Madrid, las tejas irregulares y rurales del barrio de las Letras a un lado, el afrancesado Paseo del Prado al otro, y en el centro, la promesa imposible del mar tras la estación de Atocha.

«Sobre los tejados de Madrid», decía Eulalia al comenzar su programa. Parecían haberse esfumado también aquellas antiguas locutoras que hacían punto mientras daban la temperatura, y aquel profesional de profesionalidad dudosa que le podía amenazar a uno con sacar la pistola a la mínima, y el técnico de control que se ponía gafas oscuras para que no supieras si te estaba mirando o no y te sintieras terriblemente inseguro; o ese otro técnico que se iba al wáter y te dejaba hablando, hablando y temblando, sin recursos, sin tener nada que decir, hasta que lo veías volver tranquilo, desafiante, retándote, haciéndote saber que todo el novato que entraba allí tenía que humillarse un poco, como si en vez de un trabajo estuvieras cumpliendo una especie de servicio militar.

«No te preocupes —le decía en sus primeros días de trabajo Jorge a Eulalia—, ellos dentro de poco se irán a tomar por culo». Pero no se fueron, simplemente quedaron vencidos por el curso de los acontecimientos, por la cantidad de gente joven que entró y fue invadiendo todos los rincones. No se fueron, simplemente la necesidad les hizo transformarse, ahora estaban a las órdenes de aquellos periodistas contra los que echaban pestes durante tantos años. No hizo falta echarlos, ellos mismos se mudaron de piel, si hacía dos días le asaltaban a uno continuamente con amenazas de involución, ahora estaban integrados en un mundo que halagaba a los políticos, en una ciudad de alcalde socialista, en una radio que se les había llenado de lo que más temían, de periodistillas, de políticos y de gente excéntrica. Y de pronto parecieron viejos, mansos, en absoluto peligrosos, se volvieron unos mandados. Ningún testigo del pasado les reprochó nada, incluso, poco a poco, los viejos habitantes de aquella pequeña radio fueron atreviéndose a cambiar su propio pasado, inventándose algún momento de rebelión personal, algún momento de valentía que les dignificara su propia historia durante la dictadura. Ya se sabe que el que inventa su pasado se lo acaba creyendo y tal vez también el que escucha, así que al cabo de pocos años después de que muriera Franco no quedaba ni rastro de los franquistas. Prácticamente, se podía llegar a esa conclusión, todo el pueblo soberano había sido sometido contra su voluntad durante la dictadura.

Cuando Jorge vio salir desde la barra del bar de enfrente de la radio a Eulalia con el director, sabía que en el suspiro de Pedro Auserón había contenido un reproche, pero Jorge no quiso dejarle hablar. No quería oír lo que ya sabía, lo que los dos sabían. Prefería evitar las confidencias de su amigo que desde hacía tiempo estaba deseando charlar sobre cómo le habían quitado el programa para ponerla a ella al frente del micrófono. Eulalia tuvo la deferencia de pedirle al maestro una pequeña colaboración, le pidió que le hablara todas las tardes unos minutitos de alguna vieja gloria, para darle un toque entrañable y kitsch a aquel programa de espectáculos al que el director había decidido lavarle la cara y darle un nuevo aire. El mismo director que ahora acababa de marcharse con ella en el coche. «No podría prescindir de tu ayuda», le dijo Eulalia a Auserón. Fue uno de esos gestos de generosidad que ofenden a quien los recibe. Pero él nunca se quejó, al contrario, hacía ver que se sentía feliz porque su alumna estuviera destacando, aunque aquella tarde, el viejo hubiera aprovechado el evidente dolor que transformó la cara de Jorge, cuando vieron tras la ventana del bar lo que todo el mundo veía desde hacía tiempo, la fuga de la pareja a la caída de la tarde, para confesarle ese rencor leve que no rompe de golpe con una amistad sino que la va pudriendo poco a poco, día a día.

Durante una hora Jorge estuvo sentado en la sala de espera de la planta de digestivo. Sin nada que leer, hipnotizado por los azulejos verdes que tenía enfrente. De vez en cuando unos familiares salían de una habitación, hablaban en voz baja, o pasaba un enfermo empujando lentamente el bastón del goteo. Hacía varios meses que no se acercaba a ver a sus padres y, sin embargo, allí estaba, acompañando a los padres de una mujer que ahora mismo estaba haciendo el amor con otro. La idea le dolió físicamente. Auserón, Leonor, Gaspar incluso, Úrsula, todos le habían compadecido en silencio esta tarde, y él había dejado que la compasión actuara como un bálsamo aunque en el fondo sabía que tenía mucho por lo que callar.

Todo era falso. Estaba engolfado en una nostalgia falsa, quién hubiera pensado que él, Jorge Arenas, militante de un Partido Comunista al que cada vez estaba más arrepentido de pertenecer, pero militante aún al fin y al cabo, podía entregarse a melancolías sobre un pasado cercano que había cambiado de súbito, como si hubieran pasado cien años; cómo era posible que hubiera alimentado esa nostalgia enfermiza aquel que luchaba precisamente para que cambiaran las cosas. Era una nostalgia vergonzosa, inconfesable. ¿Qué es lo que echaba de menos, los primeros años de militancia en las juventudes del partido, cuando aún era un adolescente y sentía la emoción de la clandestinidad, o echaba de menos los primeros años de la facultad, los polvos con Julieta en la cama prestada y sucia de algún amigo, la sensación de que en la vida todo estaba por hacerse, o echaba de menos la otra radio, la de la carcundia, sí, la de la estética miserable y la compañía de aquellos viejos funcionarios que disimulaban su pereza y su desidia con una especie de ira ideológica? ¿Echaba de menos estar rodeado de carcas entre los que fuera sencillo sentirse distinto y sentir su importancia en el mundo? Nada de eso merecía tanto la pena como para estar lamentando la marcha del pasado, es verdad que un día de estos dejaría de pagar la cuota y entregaría el carné del partido, es verdad que la redacción se había llenado de gente (ahora ya no era él el niño, el más joven), de dinamismo, pero también acusaba que todo se había vuelto mucho más competitivo y hasta un alma camastrona como la suya tenía que empezar a pensar en hacerse fijo, tener un sueldo decente, y aclarar de una vez por todas las cosas con Julieta, decirle, te dejo, o decirle, vuelve a Madrid y vente a vivir conmigo. Aunque si era sincero consigo mismo, nada de eso le dolía tanto esa noche como el hecho de saber que hacía tiempo Eulalia se divertía con otra persona. Todo lo demás, la melancolía que puede provocar el pasado más cutre siempre que se haya vivido en los años de juventud, el embellecimiento de las batallas ideológicas, de los antiguos colegas de barrio o incluso de los peores compañeros de trabajo, todo esto no era más que el envoltorio necesario que buscaba para dignificar un fracaso amoroso, para no sentirse absolutamente ridículo.

En la radio siempre se hablaba de reestructuración, del cierre de la cadena de emisoras, de los cambios, continuamente se hablaba de los cambios. Mal que bien Eulalia había sobrevivido a varias jefaturas distintas, y pensaba que, incluso si Montero, el director con el que mantenía una discreta relación sentimental desde hacía meses, era destituido, ella renovaría el contrato, por mucho que hubiera gente por ahí murmurando que el programa se le había concedido por estar acostándose con el jefe. Una compañera que se había convertido en confidente de la relación se lo había dicho: lo sabe todo el mundo. Todo el mundo debía incluir también, imaginó, a Jorge Arenas, que se mostraba desde hacía tiempo más distante. Curiosamente, sin necesidad de entrar en detalles, espaciaron sus encuentros amorosos pero no las cenas en casa de Gaspar, que siguieron siendo más o menos regulares.

Montero no fue destituido, al contrario, se le ascendió a una jefatura más alta de la cadena de emisoras, lo cual, paradójicamente, no evitó que a ella, según finalizó su contrato, la echaran a la calle, con la promesa de volverla a contratar después de tres meses, como a otros cincuenta colaboradores que seguían reuniéndose absurdamente en el bar de enfrente de la radio, como si la proximidad con la emisora hiciera más probable un nuevo contrato. Los que habían conseguido mantener el empleo bajaban con los defenestrados a comer, incluido Jorge, que seguía en su puesto. Los camareros les cerraban una sala en el comedor, y aquello se convertía en una fiesta diaria, en la que se especulaba, al calor de los vermús y de las cervezas, sobre los futuros contratos que unos días parecían estar sobre la mesa y otros que no iban a estarlo nunca. En esas reuniones ruidosas, alegres y alcohólicas de jóvenes colegas, Jorge y Eulalia se encontraban mejor que en ningún otro sitio, mejor que en casa de Gaspar, desde luego, donde ninguno de los dos sabía cómo calificar su propia relación, aquí, en el bar, la parte amorosa quedaba diluida en el caldo de la amistad, en un ambiente en el que era más o menos normal que se hicieran y deshicieran parejas con cierta frecuencia. En esas comidas de menú barato, y en esas sobremesas de partidas de billar y alcohol cabezón, fue cuando Eulalia le propuso a Jorge el asunto de las biografías, pero ya no sobre viejas glorias del mundo artístico o político, ni sobre la dignidad del fracaso ni todas esas ideas que ya están más que trilladas, le decía Eulalia a Jorge, aquí lo que tenemos que hacer es ponernos a ganar dinero porque esto, ya ves, esto te dura seis meses y a los seis meses te ponen en la calle.

—Montero podía haberte echado una mano —le dijo Jorge.

—Él no tenía ninguna obligación conmigo ni yo me he aprovechado nunca de..., de su amistad.

—No te enfades. ¿Le sigues viendo?

—¿Sigues viéndola tú a ella?

Para ser una conversación sobre la infidelidad, pensó luego Jorge, fue asombrosamente corta. A partir de ahí, neutralizados sus reproches, dejaron que la amistad fluyera por caminos más sencillos como el trabajo o el seguir acostándose de vez en cuando.

Eulalia no dejaba de darle vueltas a su proyecto, en realidad, no se lo había inventado ella. Todo había surgido de un reportaje curiosísimo que había leído en *Le Monde*. Se trataba de la historia de un tal Phillippe Guiot, un aspirante a escritor de Lyon que harto de mandar sus relatos a premios literarios en los que nunca ganó ni un triste accésit y desengañado también de que las editoriales le contestaran con amables negativas falsamente esperanzadoras con respecto a la publicación de su única novela, decidió montar un negocio que tenía una relación extravagante con la escritura. Pensó que se ofrecería como escritor de biografías, no de personajes importantes, que no estaban a su alcance, sino de cualquiera que quisiera ver su vida publicada. Él visitaría al cliente cuantas veces fuera necesario, le grabaría una gran entrevista, le pediría fotos, todas las posibles desde su niñez, incluso de sus antepasados, y luego redactaría esa vida en el mismo tono entre documental y literario que se emplea para las biografías de los grandes personajes, halagando siempre, desde luego, la vanidad del biografiado, que a su vez señalaría a ciertas personas de su familia, o a amigos, que podrían ampliar y enriquecer los recuerdos de su peripecia vital. Pensó el tal Guiot que era un proyecto que requería una baja inversión, puesto que el dinero para la publicación corría a cargo del cliente y el cliente decidía cuántos ejemplares se editaban. En realidad, lo único que había que echarle al trabajo era tiempo y este escritor fracasado en la gran literatura tenía todo el tiempo del mundo.

La historia le daba un aire a una de esas novelas de Simenon situadas en pequeñas ciudades de provincia. El escritor puso un anuncio en el periódico local, «¿Ha tenido usted una vida interesante, una vida que merecía ser novelada? Ahora tiene la oportunidad. Le escribimos su biografía», y esperó. Tenía la esperanza de que en una zona tan rica en pequeños negocios familiares en la que se tendía, como en todas las pequeñas comunidades, a vivir de la autorreferencia y del ego en torno al apellido, cundiría ampliamente la idea de que la vida de uno es completamente extraordinaria y está pidiendo a gritos que alguien la lleve a un libro. En realidad, es el sueño de cualquier idiota.

Sólo una llamada respondió al anuncio de Guiot. Y no porque no hubiera gente dispuesta a contar la propia vida, a esa conclusión llegó el biógrafo, sino porque la vanidad es tan grande, que la gente no sólo quiere darte la matraca con sus batallas, sino que además piensa que son tan alucinantes que merecen estar en un libro, claro, pero gratis. Hubo uno. Phillippe Guiot fue a la mañana siguiente a verlo, encorbatado y con un maletín con cuaderno y grabadora, más con el aspecto de un vendedor de enciclopedias que de escritor desesperado. Su primer y único cliente era un anciano que vivía en un piso diminuto de la ciudad de Saint-Étienne. El viejo vivía tan precariamente que Guiot estuvo a punto de marcharse casi sin haber entrado, pero en vez de seguir su primer impulso, que fue de huida, se sentó, arrastrado en parte por el señor Morvan, así se llamaba el hombre, que había visto en aquel anuncio no la oportunidad de satisfacer su vanidad, «mi vanidad ya no me importa ni a mí mismo», sino de dejar constancia de una experiencia vital injusta y lamentable. A la hora de hablar del precio, Guiot se vio en la penosa situación de regatear con el anciano. Cuando salió del piso se dio cuenta de que tendría que rebajar a la mitad el presupuesto que le había dejado caer a Morvan con estas palabras: «Es nuestro precio estándar». El viejo dijo: «Yo ese precio estándar no lo puedo pagar», y Guiot se marchó con una respuesta tan cómicamente comercial como: «Estudiaremos su caso».

Cuando no se tiene trabajo no hay mucho que estudiar, así que al día siguiente, Guiot volvió a casa del viejo. Pensó que al fin y al cabo la clave del negocio estaba en redactar la biografía lo más rápidamente posible, sin meterse en jardines literarios, a los que por cierto Guiot era aficionado (una de las causas por las que seguramente le devolvían su novela). La cuestión era acabar pronto, cobrar el dinero, y poder enseñar el resultado a posibles futuros clientes.

Visitó siete días a Morvan. Se sentaban al calor de las faldas de una mesa camilla, bebían un licor dulzón con sabor a manzana que el anciano rebajaba con agua y el escritor guiaba con sus preguntas, como si se tratara de una entrevista, los recuerdos del cliente. En los dos primeros días agotaron la infancia y la primera juventud. Él no había nacido allí, vivía en aquel piso desde hacía sólo diez años. Con las fotos sobre la mesa el anciano describió a sus padres, a su hermana, la casa en la que vivió de niño, la vida dura pero feliz en el campo. Cuando Morvan parecía estar a punto de perderse en alguna recreación poética, Guiot le frenaba: «No, no, vayamos a los hechos concretos, ése es el tipo de cosas que la gente se salta cuando lee un libro». En el tercer y cuarto día se pulieron las peripecias del joven Morvan, su traslado a la ciudad, su trabajo en un taller de sastrería. A los veintinueve años conoció a Pauline, con la que se casó y con la que tuvo dos hijos. El resto de los días estuvieron dedicados íntegramente al hijo mayor. Gerard parecía un niño completamente normal, tal vez algo tímido, inseguro, pero eso son cosas que se piensan luego. Gerard era un estudiante tan brillante que sus padres no podían sentir por él sino orgullo y la seguridad de que el chico alcanzaría una posición que a ellos se les había negado. Pero su amor por el estudio se transformó en obsesión cuando comenzó la carrera de Derecho. No salía, no parecía tener amigos, pasaba la tarde entera refugiado en su cuarto, encorvado sobre la mesa, rodeado de apuntes y libros. A la hora de la cena los padres le veían los ojos enrojecidos, la palidez, y le preguntaban si no sería saludable que de vez en cuando se tomara un respiro. El muchacho, que hasta entonces había sido siempre afectuoso con ellos, empezó a contestarles parcamente primero, luego el tono se hizo cortante, agresivo. Pero al cabo de los meses su actitud cambió, salía por las tardes, volvía a casa después de dos o tres horas y contaba los paseos que se daba por el centro de la ciudad con un amigo. Al poco tiempo ese amigo se había multiplicado por diez y los padres del chico se habían familiarizado con los nombres de todo un grupo de compañeros de la facultad, incluso hablaba con bastante frecuencia de una joven con la que parecía estar iniciando una relación especial. Los padres respiraron. Pensaron que era preferible que bajara el nivel de las calificaciones a que se convirtiera en un muchacho huraño a la edad en que uno desea y necesita sobre todo tener amigos.

Pero la alegría duró poco. Una tarde Morvan había salido a comprar algo al centro y de lejos vio a su hijo andando deprisa, como si se dirigiera a algún sitio. Pensó que iría al encuentro de sus amigos, pero al cabo de unos diez minutos le vio volver, casi corriendo, por la misma calle. Morvan se refugió en un portal y sin saber por qué, con la inquietud de quien está espiando a la persona que más quiere, se quedó allí durante dos horas, en las que vio cómo su hijo subía y bajaba la misma calle. A veces le parecía advertir que se reía o que hacía algún gesto con la cabeza, como si hablara solo. Cuando volvió a casa, no le dijo nada a su mujer, prefería esperar, quería comprender, si es que podía, lo que había visto. Aquella noche Gerard regresó con la cara alegre del que tiene muchas cosas que contar. Y las tenía. Habló de un viaje que estaban preparando para final de curso, y de su amiga, de cómo la había acompañado hasta su casa y se habían reído al comprobar que vivían tan cerca.

A partir de esa noche, Morvan espió a su hijo todas las tardes. Nunca le vio hablar con nadie. Vagabundeaba y parecía estar manteniendo una conversación consigo mismo. Cuando Pauline se enteró creyó morirse. La madre y la hermana fueron a la habitación del chico y empezaron a registrarle todos sus papeles. En muchos de los márgenes de unos apuntes, confusos hasta hacerse ilegibles, había una frase que se repetía con frecuencia: «Matar es la excusa para poder morir». Una noche decidieron hablar con él. Le esperaron los tres. Cuando Gerard entró y los vio sentados en el sofá con un gesto tan grave se quedó parado. «Siéntate», le dijo el padre, e intentando hablar de la manera más dulce, le confesó todo lo que sabían y que era sensato acudir a un médico.

Los dos últimos días que Guiot escuchó la historia del anciano se dedicaron al peregrinaje de un hospital a otro, a la lenta degradación de su hijo, a sus intentos de suicidio, al maltrato primero verbal y luego físico al que sometió a la madre, y al aviso constante de aquel hombre al psiquiatra de que su hijo debía vivir permanentemente en un hospital antes de que pudiera ocurrir algo irremediable. Ocurrió: Gerard violó a su hermana. La madre no quiso que la violación se denunciara en contra de la voluntad del padre, que pensaba que ésa podía ser la fórmula para que encerraran al hijo en un centro psiquiátrico. Por otra parte, el psiquiatra que normalmente trataba a Gerard les dijo que siempre que su paciente estuviera medicado y vigilado podía continuar viviendo en casa y que no veía en él un verdadero trastorno de disfunción de personalidad.

La historia acababa con el asesinato de la madre a manos de Gerard, con la marcha de la hermana, que hizo la maleta y se fue para siempre, y con el padre, visitando durante dos años a su hijo en la cárcel. Morvan denunció muchas veces la crueldad que suponía el exponer a un enfermo mental a las agresiones de otros presos. Nunca llegó a probarse ningún tipo de abuso, pero el padre estaba seguro de que lo hubo en más de una ocasión. A los dos años de estar en la cárcel se suicidó.

El señor Morvan se había quedado sin familia y con unos vecinos que procuraban no relacionarse con él, como si la muerte y la locura fueran algo contagioso. Su único consuelo es que quedara constancia de todo aquel padecimiento. Le dijo a Guiot que quería que se editaran veinte ejemplares. Él no tenía familiares a quien enviárselos, había pensado en el diario de Lyon, en dos o tres librerías y, por qué no, en *Le Monde*.

Guiot tardó exactamente un mes y medio en escribir la historia. Prescindió de adjetivos y de detalles innecesarios, fue fiel a la idea inicial: escribir rápido para que aquello resultara rentable.

Lo verdaderamente alucinante, le contó Eulalia a Jorge, es el último giro de la historia: el escritor mandó editar el libro a una pequeña imprenta. Doscientas cincuenta páginas fue el grosor de la biografía que contenía las fotos de los protagonistas. En la segunda página, Morvan dictó la siguiente dedicatoria: «A mi mujer, víctima de su bondad; a mi hijo, víctima de su locura; a mi hija, donde quiera que esté». El título también fue idea del cliente: *La vida trágica de Claude Morvan*. El libro no estaba firmado por el escritor, sino que rezaba como «Una memoria oral transcrita por Phillippe Guiot». En Saint-Étienne los cinco ejemplares que se expusieron en las librerías se vendieron enseguida puesto que el suceso había sido, en su momento, comentadísimo. Esos cinco ejemplares fueron pasando de mano en mano hasta llegar, casualidades de la vida, a un crítico literario de *Le Monde*. Al crítico le llegó recomendado por un primo suyo de Lyon al que le había impresionado la historia del pobre Morvan, y este crítico, en principio reticente, leyó absorto las doscientas cincuenta páginas. No sólo hizo una elogiosísima crítica para el periódico en la que consideraba al autor como un digno sucesor de Norman Mailer y de Truman Capote, «con un estilo limpio de artificios», sino que llamó personalmente a Guiot para animarle a una edición más importante del libro. El libro fue editado por Gallimard, y se colocó a los dos meses en las listas de los más vendidos, y ahí vino el problema. Morvan, de pronto, abandonó esa actitud de anciano trágico, y reclamó la autoría de la historia y los derechos de autor. Se celebró un juicio y lo ganó, dado que Guiot aparecía en la portada tan sólo como transcriptor y ellos no habían firmado ningún contrato, tan sólo un papelillo ridículo a modo de recibo que había escrito el viejo a mano. Al olor del dinero la hija desaparecida salió de su escondite y se abrazó al padre deshecha en lágrimas. La vida de Claude Morvan no acabó tan trágicamente como el libro apuntaba. Ganó dinero, recuperó a una hija, y de todo esto fueron testigos millones de personas porque fueron invitados a varios programas de televisión. Guiot, por su parte, pensó en suicidarse o en dejar la literatura. Dejó la literatura. Eso sí, al poco tiempo le contrataron en una revista semanal para realizar una serie de reportajes «humanos», eso que había demostrado con creces hacer tan bien. Y Guiot, libre de tener que escribir haciendo piruetas (para él eso era lo literario), se dedicó a contar exactamente lo que le contaban. «¿Por qué no descubriría antes —pensaba a veces— que lo mío era el periodismo?».

Jorge se echó a reír. Eulalia también se reía. Era perfecto estar sentados en aquellos billares de poca monta de la calle Huertas, con los compañeros por ahí rondando alrededor de la mesa de billar, con las copas en la mano, dejando pasar las horas, evitando ese momento en que saldrían a la calle ya de noche y no sabrían muy bien qué camino tomar ni qué hacer el uno con el otro.

—Y tú piensas que yo soy como el pobre Guiot... —le dijo Jorge.

—El pobre Guiot es una mezcla de los dos: a ti te gustaría escribir pero no acabas de saber cuál es tu género, y a mí me gusta el dinero.

—Que escribo tan mal como Guiot, eso es lo que quieres decir.

—No, yo no he dicho eso. Guiot escribía mal cuando creía que estaba escribiendo bien. No, no es tu problema. Tu problema es, seguramente, que te falta ambición para conseguir lo que quieres. Y para escribir también hay que ser ambicioso.

—¿Y a ti no te falta ambición para conseguir lo que quieres? —el tono de Jorge, de pronto, había cambiado.

—No.

—¿Incluso no te importa liarte con el jefe y que todos tus compañeros lo comenten?

—Me parece a mí que hay algo que no entiendes y te lo voy a explicar: me lié con el jefe porque me resultaba atractivo. Puede que el simple hecho de que fuera el jefe lo convierta a tus ojos en un gilipollas. Lo lamento, pero yo no tengo esa forma de pensar. Es posible que en estos momentos me estés pareciendo tú más gilipollas que él —Eulalia se levantó y se empezó a poner el abrigo—, ¿quién te has creído que eres para reprocharme nada? Si por no atreverte no te atreves ni a insultarme, ¿quién te has creído que eres para hacerles saber a mis padres que te estoy poniendo los cuernos? Qué cuernos, si tú y yo no somos nada. Hay algo que no aprendiste en tus años de militancia, que no todo el que lleva corbata y está en un despacho es un imbécil, y no toda mujer que se acuesta con un jefe es una puta.

Eulalia se colgó el bolso y salió del bar para que nadie pudiera ver que estaba a punto de echarse a llorar. No quería que las lágrimas sofocaran su furia. Se mordió los labios y echó a andar, casi a correr por el Paseo del Prado. Alguien se acercó a Jorge para proponerle tomar una copa en otro sitio. Tendría que haber dicho que no y salir corriendo a buscarla pero se dejó llevar por lo más fácil. Sabía cómo transcurriría la noche aunque aún no la había vivido, como si estuviera ya escrita y sólo hubiera que seguir los renglones con el dedo índice: irían a tomar unas cañas y a picar algo a la Taberna de la Dolores, subirían luego la calle Huertas hacia la plaza de Santa Ana y entrarían en el Café Central. Allí se tomarían uno, dos, varios gin tonics. Y si hubiera algún grupo tocando jazz, el alcohol le ayudaría a cerrar los ojos, a creer que la música entraba dentro de uno sublimando cualquier dolor sentimental. Se imaginaría a sí mismo escribiendo una novela, se imaginaría la historia misma, la música de las frases, que se parecería a la música que estaría escuchando. Empezaré mañana mismo, se diría, o esa misma noche. En algún momento había que poner en marcha ese mecanismo adormecido de la ambición. El alcohol y la música harían su trabajo, como siempre, dispararían los mejores deseos, los que le llevan a uno a pensar que puede hacer cosas grandes, que de pronto tiene la voluntad que le faltaba, y que esa voluntad no va a fallar al día siguiente. Pero luego el nivel de los grandes propósitos iría bajando, en cuanto salieran a la intemperie, fuera del encanto de la música. Los sentidos irían apreciando poco a poco, según los mejores efectos del alcohol se transformaran en los más desagradables, la vida tal y como es, ajena al amparo de las luces matizadas y de las baladas melancólicas. Se metería en un taxi. Subiría en el ascensor evitando mirarse al espejo. Y, al fin, se derrumbaría en la cama. Pero lo más terrible llegaría unas horas después, cuando la luz cruel de la mañana entrara en el cuarto, en el que desde hacía un año se había caído la cortina y no había sido capaz ni de colocar la barra. Sabía perfectamente cuál sería entonces su primer pensamiento: crees que estás en el centro del mundo y no estás en el centro de nada.

Aunque Eulalia firmó el contrato prometido al poco tiempo y empezó a hacer reportajes y entrevistas semanales para el magazine de la tarde, el proyecto de las biografías se puso en marcha. Jorge y ella registraron la idea y estudiaron las maneras de ver de qué forma buscarían el primer cliente. Parecía muy absurdo pagar un anuncio en el periódico a la manera de Guiot así que vieron el cielo abierto cuando Gaspar, que pasaba ya todo el día en casa porque la quimioterapia y la vejez le restaban mucha energía, les dijo que a través de la secretaría de la asociación de joyeros, de la que él había sido presidente primero y miembro muy activo después, podía hacer que se corriera la voz y, quién sabe, todo el mundo está deseando contar su vida, pero siempre tiene que haber un primero que no considere absurdo un gasto como ése.

Muy profesionalmente, Eulalia imprimió unas hojas informativas, con el tipo de contrato, los gastos, el tiempo que se le calculaba a la entrevista, el tiempo que se tardaría en la redacción... Repartió la publicidad por las distintas asociaciones de empresarios, como así le había aconsejado su padrastro. Recibieron dos o tres llamadas pero todos los posibles «clientes» preferían dejar la conversación para cuando tuvieran más tiempo, en el verano. Una mañana, inesperadamente, Gaspar les propuso ser su primer biografiado.

—Eso no puede ser —le dijo Eulalia, riéndose—, a mí me da corte hacerte a ti una entrevista. No podemos aparentar de pronto como si no nos conociéramos, no vamos a saber.

—Muy bien, puedo hablar con Jorge, después tú te encargas de pasarlo al papel.

Durante mucho tiempo Eulalia pensó que la verdadera razón por la que Gaspar se ofrecía a ser entrevistado era por hacerles un favor, porque debía estar en el fondo convencido de que aquel negocio absurdo no tenía mucho futuro. Pero, poco a poco, observando cómo transcurrían las conversaciones entre Jorge y su padrastro, empezó a cambiar de opinión.

Jorge llegaba a la casa sobre las diez de la mañana. A esa hora no se oía un alma. Abría la puerta Marijose, la asistenta, y siempre hacía el mismo comentario, «Hablo bajo porque la señora aún no se ha levantado», como haciendo ver que se trataba de una excepción, cuando Jorge, que ya estaba al tanto de las costumbres familiares, sabía de sobra que Leonor no se levantaba antes de las once, quizá porque le había quedado la costumbre de andar tantos años trasnochando. Ahora, desde que Gaspar había enfermado, sólo salía un rato por las tardes, a lo mejor alguna noche, pero poco más. De todas formas la vida nocturna a la que fue tan aficionada le había dejado en herencia una manera de estar y de moverse a lo largo del día; con la luz de la mañana, de las doce del mediodía, Leonor andaba en bata por la casa, ya pintada, pero con los ojos aún hinchados del sueño, y adoptaba posturas de ensoñación, en un sofá, en la cocina, en el banco del jardín, fumándose un cigarrillo, como si tuviera en la mente todavía las voces de una noche agitadísima.

A veces, mientras Jorge y Gaspar hablaban, Leonor entraba silenciosa y gatuna, y se recostaba en un sillón. A Jorge le provocaba cierto reparo verla tan ajena, no sólo a la conversación sino a su propia postura, con la pierna alzada sobre el brazo del sillón, dejando caer la zapatilla. La bata tenía una consistencia de viso antiguo y se podían percibir con exactitud todas las curvas de un cuerpo sorprendentemente firme para una mujer de casi sesenta años.

Una mañana, yendo Jorge por el pasillo hacia el aseo, sorprendió una conversación entre la madre y la hija.

—¿No te puedes poner otra cosa?

—¿Qué cosa? Estoy en mi casa.

—Pero de tu casa entra y sale gente. Vas sin sujetador, se te nota perfectamente... Y hay días en que no llevas bragas.

—Es que no me pongo el sujetador ni las bragas hasta que no me ducho, y no me he duchado todavía. Y si a alguien le molesta pues que no mire.

—¿Te parece normal estar ahí tumbada de esa manera, sin vestir casi, delante de Jorge?

—Ah, a mí no me importa.
—Pero a lo mejor a él sí.

En ese momento Leonor sorprendió a Jorge intentando pasar por delante de aquella puerta sin ser descubierto. Él se puso colorado como si tuviera diez años.

—¿Nos estabas oyendo? —le preguntó Leonor. No con un tono inquisitivo, la pregunta no tenía una segunda intención.

—No...

—Sí, nos estabas oyendo; no te pongas así, no pasa nada. Ya que estás aquí, responde, ¿te importa o no te importa? Si te importa, me visto, que yo no quiero molestar a nadie.

—No, qué tontería, me parece normal que vayas como quieras.

Sí que le importaba, claro. Le importaba porque Leonor no había perdido con los años una especie de actitud provocadora que utilizaba para desconcertar y para salirse con la suya. Le importaba porque no la veía nunca como una mujer mayor, ajena al deseo. Leonor entraba en bata, con su aire negligente y un poco golfo, se dejaba caer en el sillón, subía la pierna, tiraba la zapatilla al suelo. Y todos los días, con el sonido de aquella zapatilla, los dos hombres, que hasta el momento habían estado charlando tan concienzudamente, se distraían un poco.

Las mañanas en que Jorge no podía acercarse Gaspar se quedaba melancólicamente mirando por la ventana. Su única puerta abierta al mundo iban siendo las penosas salidas al hospital, de las que volvía siempre un poco más viejo, y aquellas conversaciones matutinas que se acabaron convirtiendo más en una terapia psicológica que en un riguroso proceso de memorización. A todas las mujeres de la casa les parecía advertir que el día en que no venía Jorge, Gaspar estaba más triste, más encerrado en sí mismo. Hasta Leonor, tan poco hábil a la hora de ponerse en el lugar del otro, hacía un esfuerzo, se sentaba a su lado y le contaba cualquier cosa con tal de borrarle ese pensamiento que parecía transparentársele en la cara: me voy a morir. Así que si a las diez y media el chico no había llegado o no había llamado, Leonor se levantaba de la cama e iba a la habitación de Eulalia, ¿es que hoy no viene?, le preguntaba; no sé, me dijo que no sabía; por qué no le llamas. Marijose le hacía la misma pregunta en la cocina: ¿es que hoy no viene tu amigo?; Úrsula llamaba desde el trabajo: ¿llegó?

Eulalia se asomaba al salón. Lo veía mirando por la ventana, sentado siempre en el sillón más rígido, siguiendo la tendencia de las personas mayores a buscar los asientos duros, las sillas. Ecos de un tiempo en que la gente no se tumbaba en el sofá y mantenía cierta compostura aun estando en casa. Ya no leía. Eso era lo más raro, porque él siempre había llenado los ratos libres leyendo. Ponía el libro sobre la mesa, como los niños, apoyaba los codos y pasaba mucho tiempo así, tremendamente concentrado, y a veces, entusiasmado, les leía algo en voz alta, algo gracioso o algo emocionante. Nunca se había arriesgado mucho buscando lecturas nuevas. Una vez y otra volvía a Galdós, a su Fortunata, a Jacinta, a Mauricia la dura, doña Lupe la de los Pavos, a las andanzas de Estupiñá, a la Ana Ozores de Clarín, o se reía con los ancianos extravagantes del Club Pickwick.

Era extraño verlo ahí sin hacer nada. Él, que nunca se había permitido a sí mismo estar desocupado, que había seguido yendo a la joyería, ahora atendida por Fausto, hasta que el cansancio demoledor se lo impidió. Toda la vida inclinado, concentrado en el movimiento de los dedos, en las pequeñas piedras preciosas de antiguas clientas, que reformaban anillos según pasaban el tiempo y las modas, perdiendo la vista, mirando siempre a lo concreto, al detalle. ¿Qué miraría ahora por esa ventana, qué es lo que de verdad vería: el fresno, la hilera de bojes, la verja oxidada, el cielo de luz cambiante y caprichosa de aquella primavera, o sólo podría ver la certeza del fin próximo? Eulalia se acercaba e intentaba superar el pudor que siempre había sentido a la cercanía física con el padre al que había conocido cuando tenía nueve años. Se sentaba a su lado y le acariciaba torpemente los hombros. Cuánto le hubiera gustado abrazarlo.

Las conversaciones duraron tantos meses que muchas veces no se grabaron. A veces se prolongaban hasta la hora de la comida. Gaspar hablaba de su infancia, y era muy raro, tanto para Eulalia como para Leonor, imaginarse al hombre que siempre habían conocido de viejo cuando era niño. Se detenía en detalles muy concretos que parecían materializarse delante de sus ojos, movía las manos para contar cómo estaba dispuesta la comida en la casa de sus padres, o para repetir el final de un cuento antiguo que en la oscuridad y en los labios de María Oliva, su abuela, adquiría un tono tan misterioso que luego les obligaba a dormir a su hermano y a él abrazados. Abrazados su hermano y él, gemelos, idénticos. Los niños de María Oliva que se escapaban desde muy chicos del mundo de calle Carretería para seguir la senda del cauce del Guadalhorce y bajar hasta el puerto a ver los barcos y soñar. O en los días de playa, cuando acompañaban a los abuelos que iban a tomar el sol a los Baños del Carmen, medio desnudos, persiguiéndose, tirándose arena, ajenos tantas veces a los otros niños como sólo saben estarlo los que desde el propio nacimiento compartieron la misma cuna, los pechos de su madre, el mismo amor del padre. «Estos días azules y este sol de la infancia», decía Gaspar, poniendo en su boca el último verso de Machado para evocar aquellas mañanas de playa, con la presencia vigilante y alejada de la orilla de los abuelos María Oliva y Rafael, sentados en silletas, los dos de negro, bien tapada la cara y desconfiando a cada rato del mar que podía tragarse a los niños. Así los recordaba, estáticos y serenos, como aparecen los abuelos de las fotos de principios de siglo, nunca sonrientes, algo asustados incluso por la presencia intrusa de la cámara, como si quisieran mostrar una severidad de la que carecían. María Oliva y Rafael, qué raro era para Gaspar sentir ahora tan íntimamente cerca la presencia de los abuelos que murieron poco después de que acabara la guerra, que tuvieron tiempo de ver cómo la vida, en lo que podía parecer la recta final de una existencia sin sobresaltos, daba un vuelco inesperado y les hacía llevarse a la tumba el peor de los sufrimientos: la muerte de quien ha de morirse, según la naturaleza, mucho después que tú. Ahora le dolía a Gaspar pensar que no se hubieran muerto antes, sólo con que hubieran cerrado los ojos tres años antes se hubieran evitado ese final que no merecían. Y Gaspar se hubiera evitado, a su vez, llevar aquel dolor ajeno sobre sus espaldas. Qué cosas, qué raro, sentirlo todo ahora, pensaba, con la misma desesperación que si estuviera ocurriendo en este momento. ¿Será eso la vejez, se preguntaba, o peor aún, será eso la muerte?

Pero su pequeña audiencia, Leonor, Úrsula, Jorge y Eulalia, que adivinaba en parte aquella nube negra que de pronto le ensombrecía el pensamiento, desviaba la conversación hacia recuerdos más alegres. Úrsula, que era la única que conocía bien el complicado árbol familiar, le preguntaba detalles, qué fue del tito Paco, o de María Dolores, y entre los dos parecía establecerse un vínculo que se estrechaba aún más según iban rememorando los lazos familiares. El acento malagueño de Gaspar, suavizado por tantos años en Madrid, se hacía más fuerte, y los demás asistían a la complicidad de una relación que nunca había sido tan evidente.

Una mañana Gaspar le pidió a Eulalia que le acompañara a dar un paseo por la calle. Hacía días que el cansancio le limitaba a dar una vuelta por el pequeño jardín pero tenía muchas ganas de estar más allá de la verja. La calle nunca tenía tráfico, era prácticamente un lugar privado para los habitantes de la Colonia. Emprendieron camino por esos doscientos metros en los que se iban parando cada dos por tres para saludar a algún vecino o para que el anciano diera un respiro. Andaban muy lentamente, Gaspar la tenía cogida del brazo, y Eulalia sentía la fuerza con que la agarraba su mano huesuda, como si tuviera miedo a caerse, a que ella se le escapara o a que anduviera demasiado deprisa.

—Hay un dinero... —empezó a decirle Gaspar.

—No hablemos de eso otra vez, ¿quieres?

—Sí, tengo que hablarlo, y me vas a dejar. A Leonor hay que dejarle las cosas hechas, ella no puede disponer sola del dinero. Se lo he dicho y lo ha comprendido. O dice que lo ha comprendido. Úrsula y tú os tendréis que hacer cargo de muchas cosas. Fausto de la joyería. Vosotras, de la casa, del dinero del banco. Ya sabes que tu madre puede gastarse en poco tiempo lo que tenga entre las manos y eso ya pasó una vez. Con una vez es suficiente. Hay un dinero que os prometí.

—Déjalo, estás hablando en un tono que parece...

—No querrás decirle a Jorge Arenas que ha estado dedicándole cuatro meses a la vida de un viejo por gusto...

—Bueno, la cosa empezó de una manera pero luego... Él ya no es ningún extraño para ti.
—¿Ha estado por pena?
—Por pena no.
—Yo pienso que este chico ha estado conmigo entre otras cosas por ti. ¿Tú qué crees, hija?
—No, yo fui quien le metí en esto, eso es verdad, pero... a él le gusta hablar contigo.
—Y a mí con él. Son cuatro millones. No es a repartir, claro, son tres para ti y uno para él —aprovechando un alto en el camino Gaspar la miró a los ojos— porque me da la impresión de que no estáis juntos.
Eulalia dijo que no con la cabeza esquivando la mirada.
—No sé si escribiréis el libro, pero ése fue el trato. Me gustaría que lo hicierais. No por mí ya, claro, me gustaría que lo hicierais por Fausto.
—No quiero ese dinero.
—Vas a tener derecho a tu herencia, como Úrsula, como tu madre, pero esto es un regalo y te lo quiero dar antes para que no haya líos luego. Con Úrsula no habrá problemas, de eso estoy seguro, pero Fausto... Me gustaría que lo escribierais, de verdad. Es una deuda que tengo con él.
—Lo vamos a hacer, te lo juro.
—A lo mejor no les he explicado las cosas en la vida como tendría que haberlo hecho —la mano torpe de Gaspar fue hasta el bolsillo y sacó un pañuelo que pasó por las mejillas de Eulalia—. No llores...

—Me estás hablando como si te fueras a morir, no me hables así, porque yo no sé qué decirte, por favor. Por favor...

—Es que me voy a morir. Me voy a morir.

Ahora fue Eulalia quien dejó de caminar. Se quedó parada, mirando al suelo, imaginaba que desde alguna de las ventanas que daban a la calle estaría algún vecino observándoles, atento al paseo de un viejo que todos sabían que pronto dejaría el vecindario para siempre. Ella notaba cómo las lágrimas caían al suelo, sin sacudirle el cuerpo, era un llanto que no le obligaba a emitir ningún sollozo, sólo lágrimas constantes que le nublaban la vista.

—Soy viejo. No quiero morirme, pero no puedo pedir más tiempo del que he vivido. En estos días he pensado mucho. Tantas veces se tiene pudor en decir lo que se siente. No he sido un padrastro demasiado cariñoso, no he tenido la gracia de tomarte en brazos, ni de darte besos, no he jugado contigo, pero creo que puedes saber lo que te he querido..., ¿lo sabes, no?

—Sí.

—Aunque el pudor no me haya permitido demostrártelo tanto como hubiera debido. Dirás que a qué viene esto a última hora. Anda, muévete, que ya no puedo más. Tengo mucho frío, mucho. Desde hace dos días se me hielan los huesos.

Emprendieron el camino de vuelta. Eulalia limpiándose los mocos, las lágrimas, Gaspar con la respiración muy entrecortada.

—Igual que a los otros, que lo sepas. Los tres habéis sido mis hijos. Quién iba a decirlo.

Murió una semana después. A las tres de la madrugada, Leonor la llamó, y también a Úrsula. Las tres se sentaron a su alrededor. La habitación estaba muy caliente porque desde hacía días Gaspar no cesaba de repetir que tenía frío y nada podía calmarlo. Vomitó varias veces. Un vómito negro, que no parecía sangre. Era Úrsula quien tenía la entereza de limpiar el suelo con las toallas y de recomponerle la cama. Del humidificador salía un vaho que invadía la habitación con un aroma a eucaliptos pero no llegaba a apagar el terrible olor que brotaba del cuerpo de Gaspar, como de alguien que se está descomponiendo por dentro. Leonor sólo acertaba a pasarle una toalla húmeda de vez en cuando por los labios. Le decía, cariño, ahora viene el médico, ahora viene, estamos las tres contigo, no te preocupes.

El médico llegó, acompañado por Fausto, y después de ver durante unos minutos al anciano, salió al pasillo y estuvo un rato hablando con ellos, con todos, menos con Eulalia, que estaba aterrorizada ante la sola idea de contemplar una muerte. El médico preparó una inyección. Le destaparon el brazo flaco, amarillento, y le pinchó. A partir de ese momento la respiración de Gaspar se fue haciendo, poco a poco, más sosegada, hasta que entró en el sueño con la misma felicidad de un niño. Leonor se acostó a su lado y le tomó la mano. Y a Eulalia le pareció entender, en aquel momento, el amor verdadero y extraño que habían sentido el uno por el otro. Gaspar dejó de respirar. El médico certificó su defunción.

—Apaga la luz un rato —dijo Leonor.

Eulalia estuvo mucho rato sentada en el sillón, no recuerda cuánto, porque incluso cree que se durmió. Cuando se despertó, vio cómo Úrsula vestía a su padre. Muerta de miedo pero sabiendo que si no lo hacía nunca se lo perdonaría, se agachó sobre la frente del muerto y le dio un beso. La frente estaba fría como el cristal.

Gaspar fue enterrado en el cementerio civil de la Almudena. En el mármol del nicho fue grabado: GASPAR SALOMÓN ALMAGRO 1901-1985 TU MUJER Y TUS HIJOS TE RECORDARÁN SIEMPRE. A esta inscripción común para los marmolistas, seguía un verso, por voluntad de Gaspar, de Antonio Machado: SÓLO LA TIERRA EN QUE SE MUERE ES NUESTRA. Eulalia miraba a su madre, muy delgada, más de lo que era natural en ella, una delgadez que destacaba por ir vestida de negro. Por primera vez parecía que se sentía realmente afectada por algo, escuchaba las condolencias, los pésames de los amigos de Gaspar que iban pasando en fila para besarla o darle un abrazo, y daba la impresión de que su cuerpo delgado, que siempre tenía una apariencia fuerte, enjuta, había perdido su habitual tono muscular y estaba a punto de derrumbarse o de quebrarse. Pero como contrapunto a esa actitud de debilidad evidente y desconocida en ella estaban las gafas, pensaba Eulalia, de dónde las habría sacado. Unas gafas ovaladas, de concha negra, excesivamente grandes para que la tristeza de la viuda tuviera el aire solemne que se espera en estos casos. Eulalia sabía que aun estando triste, Leonor habría rebuscado unas mil veces entre su vestuario, calibrado la calidad de las medias y pensado sobre la altura adecuada de los tacones. Desde luego había conseguido el vestuario adecuado para una viuda afligida, pero, como siempre, había algo que delataba su verdadera personalidad, y dado que hoy se había despojado de todo aquel jaleo de pulseras, cadenitas, pendientes grandes, y pintura con los que habitualmente se presentaba ante los demás, parecía que inconscientemente había compensado ese vacío con unas gafas que habría sacado del fondo del ropero, ese ropero en el que, como las grandes artistas, conservaba todo, desde su traje de novia, hasta todos los zapatos, todos los cinturones o los pendientes de colorido furioso que había llevado en los años sesenta. Todo en perfecto estado, porque, como solía decir muchas veces, en uno de tantos consejos femeninos que salían de su boca —siempre consejos de tono superficial pero que ella planteaba casi como asuntos morales—, «dado que la moda es cíclica, como la historia, yo guardo, porque quién sabe si lo que está en el fondo del armario no ocupará el primer lugar dentro de diez años».

Eulalia se sorprendió a sí misma, por primera vez, sonriendo, en vez de irritarse, de fiscalizar íntimamente el comportamiento de su madre, sintió algo cercano a la simpatía, como si ya no sólo no le afectara que fuera tan distinta a las señoras que una tras otra le iban dando el pésame sino que hubiera una ligera y todavía imperceptible aprobación de su estilo. Al lado de Leonor, Úrsula, que parecía mantenerla en pie sujetándola del brazo. Úrsula, fuerte a su lado, ancha, tosca, como la eterna acompañante de una artista o la hermana fea. Las dos unidas gracias a sus diferencias, a lo que una había necesitado de la otra desde el principio. Fausto, algo alejado, reticente como siempre a entregarse completamente a ese extraño clan familiar.

Fue mucha gente al cementerio, vecinos de la calle, parientes de Málaga, muchos colegas del gremio de joyeros, y amigos socialistas del local del barrio que en los últimos tiempos Gaspar había frecuentado, más que para tener un compromiso político activo, para charlar con viejos camaradas de su edad.

Después del entierro, Eulalia le pidió a Jorge que se quedara con ella un rato, aún no quería volver a casa. Los bares de la zona no eran muy apetecibles, así que dieron un paseo por la acera que seguía la valla del cementerio. Ella temblaba. No era un temblor de frío porque iba bien abrigada, sino el temblor que provoca la presencia de la muerte. La noche en que había muerto Gaspar le había pasado lo mismo. El temblor le sacudía el cuerpo y le impedía hablar. Jorge dijo, te llevo a casa; pero ella necesitaba estar en la calle, andar, aunque el frío le hiciera daño en los labios cortados, en los ojos hinchados por el llanto. Él la rodeó con los dos brazos y así anduvieron, fumando un cigarro que Jorge había encendido y que de vez en cuando acercaba a los labios de ella. En ese momento parecía tan absurdo que no estuvieran siempre juntos, que hubieran sido incapaces de estar juntos.

—Podemos ir a tu casa —dijo Eulalia—, me gustaría estar en la cama contigo. Es lo único que de verdad me consolaría.

Jorge se calló sin saber qué decir, como buscando la manera de explicarse.

—¿No podemos ir a tu casa? —preguntó Eulalia.

—No, no podemos ir.

—Ya.

Volvieron sobre sus pasos para ir hacia el coche. Ahora ya no caminaban abrazados, Eulalia llevaba las manos cruzadas sobre el pecho para sentir algún consuelo contra el frío.

—Es un desastre esto, Eulalia, un desastre.

—¿Esto, qué es esto?

—Yo, yo soy un desastre.

—¿No has dejado de estar con ella en ningún momento? Dímelo ahora, qué más da ya.

—Pues... sí y no —se quedó pensando y se atrevió por fin a dar la respuesta—. No, no he dejado de estar con ella.

—Bueno, yo también he tenido mis cosas.

—Pero no ha sido lo mismo. No puedo disculpar una cosa con la otra.

—¿Y a mí, me quieres?

Los dos entraron rápidamente en el coche como si no pudieran seguir manteniendo esa conversación de pie y necesitaran un lugar en el que refugiarse. Jorge se llevó las manos a la cara. Y Eulalia en vez de experimentar compasión se sorprendió sintiendo distancia, como una irritación por estar esperando una confesión que debería haber hecho mucho antes.

—Sí te quiero, pero no creo que vaya a dejar de estar con ella.

—¿La quieres más que a mí?

—No lo sé, de verdad que no lo sé.

—Si no podemos ir a tu casa, bueno, vámonos a un hotel.

—En realidad siempre he sentido que la estaba engañando a ella, nunca que te estaba engañando a ti.

—¿Y quieres engañarla una vez más? Te lo digo más claro: ¿quieres que nos vayamos ahora mismo a un hotel y echemos un polvo? No tienes que disculparte conmigo. No te estoy pidiendo que la dejes ni que elijas, nada de eso, sólo que si quieres, esta mañana, sin que eso signifique nada, sin que eso nos comprometa a nada, acostarte conmigo.

—Sabes que sí, que lo estoy deseando.

—Pues venga, vamos —dijo Eulalia, impaciente, imperativa, como si ese polvo fuera a resolver un adiós que estaba aplazado desde hacía mucho tiempo.

Conoció a Julieta de una forma curiosa. Eulalia pasaba casualmente por la calle Doctor Esquerdo, por el portal de Jorge y, sin más, pensó llamarlo desde abajo y proponerle que se bajara a tomar un café. Tenían cosas pendientes, entre otras, las cintas de Gaspar, sobre las que no habían hablado desde hacía un mes, desde el día del entierro, el dinero que todavía no le había entregado, y la más verdadera de todas, la necesidad de verle. Primero, la muerte de su padrastro y después el traslado de Jorge a la televisión los habían distanciado, al menos diariamente. En cuanto a la relación sentimental parecía haberse dado por terminada aquel día en la habitación del hotel Victoria. Ésa era la voluntad teórica, aunque los dos sospecharan que las voluntades teóricas son las que peor funcionan en estos casos y que, incluso, las prohibiciones que se hace uno a uno mismo de no volver o de no volver a acostarse con alguien acaban sirviendo casi como acicate para buscar la manera de transgredirlas.

Así que pasando por la puerta de su casa no pudo evitar la tentación. Llamó al telefonillo. El corazón se le aceleró pensando que tal vez contestara una voz femenina, pero no, de las rejillas del altavoz surgió la voz de Jorge.

—Nada, que estaba por aquí, y... pensé que a lo mejor podíamos tomar algo y me cuentas cómo te va.

—Espérame, que ya bajo.

Pero la voz femenina le sorprendió desde donde menos la esperaba. A sus espaldas alguien dijo:

—¿Y por qué no subes?

Eulalia se volvió llevándose la mano al pecho, como si le hubieran dado un susto. Una mujer algo mayor que ella, de unos treinta años, con el pelo muy corto, teñido de rubio albino, se presentó como Julieta. Y con toda naturalidad, con el aplomo de quien lo sabe todo pero nunca va a perder los papeles, sacó las llaves del bolso, abrió la puerta del portal como si estuviera entrando en su casa y emprendió camino hacia el ascensor. Eulalia la seguía, callada y teniendo la sensación de que no controlaba en absoluto lo que estaba ocurriendo. Antes de que Julieta pudiera llamar al ascensor Jorge salió de él. Por un momento se quedaron los tres en silencio. Él mirándolas, a una y a otra, pero sobre todo, a Julieta, que es a la que aparentaba tener que dar más explicaciones. Y ellas mirándolo a él, que tenía un gesto infantil, de niño pillado en falta.

—Ya nos hemos presentado. Podemos tomar el café en casa.

El viaje en el ascensor se hizo eterno. Eulalia intentó componer alguna frase coherente que explicara su presencia allí, el libro de Gaspar, el dinero, y sus palabras quedaron flotando en el aire, sonando a excusa, por lo que dejó abruptamente el tema, como si alguien le hubiera dicho que se callara. En realidad, la orden provenía de ella misma. Cuando el ascensor llegó al quinto, le pareció que los tres respiraban después de haber contenido el aliento.

No hacía tanto que Eulalia había estado en el piso, unos cuatro meses, quizá, pero por lo que tuvo delante de sus ojos cuando entró en el salón se podía decir que habían pasado décadas. Los muebles tristones y anacrónicos de los padres de Jorge habían desaparecido y en la casa había irrumpido definitivamente el tiempo presente. Aquella lámpara de cristalillos falsos que daba al salón una luz cenital devastadora se había borrado del techo, y en su lugar, había unos focos negros. La habían decorado con pocos muebles, pero modernos, funcionales, el sofá imitación de cuero que compraban todas las parejas que acababan de casarse, las lamparitas de tulipa beige a cada lado para la lectura, una mesa de cristal en el rincón del comedor, y unas láminas hindúes que Julieta habría traído de Londres y había enmarcado con esos marcos finos metálicos que estaban en todas las casas de los amigos de Eulalia, de los que se independizaban y decoraban su casa y empezaban a sentir la necesidad de crear un espacio acogedor y de comprar cosas sin que eso les delatara como pequeño burgueses. Era Julieta la que había liderado todo el cambio, de eso no cabía duda. Jorge hubiera tardado muchos años en luchar contra el amodorramiento que provoca la perspectiva de cualquier cambio en la decoración. Era Julieta la que habría mandado raspar el gotelé, y pintar las paredes de un amarillo pálido, la que habría tenido la habilidad de convertir a aquel joven que se resistía a abandonar la vida juvenil en un hombre, un hombre con una casa a la que uno desea volver después del trabajo, en la que es posible invitar a amigos y estar hasta las tantas discutiendo de una forma vehemente lo mismo de cine que del desencanto que iban provocando los años poco socialistas del Partido Socialista, hasta las tantas debatiendo la ya casi inevitable entrada de España en la OTAN, peleando a gritos aunque sólo fuera por los matices, porque en lo básico estaban aún de acuerdo, pero en los matices empezaba a adivinarse quién borraría de su pasado los años en el partido, como si se hubiera tratado de un error de juventud, quién sin borrarlo se alejaría del radicalismo y lo consideraría una etapa saludable de la juventud, y quién entendería que en la fidelidad absoluta al pasado estaba la coherencia suprema.

Eulalia era lo suficientemente perspicaz como para darse cuenta tan sólo paseando sus ojos por aquella sala de que mientras Jorge había vivido con ella un romance apasionado, complicado también, Julieta había ido construyendo la casa. Sentía la tentación casi irresistible de acercarse a la estantería donde los libros habían sido colocados armoniosamente, libros usados y queridos que llenaban los estantes, de acercarse y verlos a los dos juntos en las fotos que daban fe del pasado. De lejos, a tres metros de donde estaba ella, podía ver a la pareja en una acampada con otros amigos, cuántos años haría de eso, ¿seis?, ¿ya habría entrado ella en la vida de Jorge?, luego había fotos posteriores, en la casa del pueblo, con la madre de Julieta en Londres. Tal vez la pareja se había permitido, durante los dos años que ella vivió en el extranjero, algunos escarceos, habían decidido hacer la vista gorda. Puede que Jorge hubiera hecho lo posible por detener el tiempo, alargar su juventud hasta que ella volviera y le colocara con precisión y amor todos los discos, las películas, los libros.

Hubiera sido más fácil enfadarse, gritar, exigir allí, delante de ella, algún tipo de importancia en aquella historia, y luego salir a la calle y convencerse a sí misma de que en realidad él siempre la querría y había elegido la opción más cómoda. Pero lo que pensó fue todo lo contrario. Aparte de los muebles, del ambiente que delataba una vida en común sólida, Eulalia miraba casi sin poder evitarlo a aquella mujer de pelo corto y rubio, de mirada inteligente, delgada y fuerte, con un aire en sus movimientos casi de muchacho, que iba y volvía de la cocina, y hablaba ahora sin parar intentando romper el molesto silencio. La miraba, sencillamente, midiéndose con ella, preguntándose, no qué habría visto Jorge en aquella mujer sino al contrario, qué había visto en ella para mantener una relación secreta durante tanto tiempo.

Si hay algo que definitivamente acabó con el intermitente romance que había entre ellos, fue, sin duda, la fascinación que sintió Eulalia por Julieta, más que el desprecio que acaba generando un hombre mentiroso. Aquella tarde se sentó, se tomó el café y charlaron cada vez más distendidamente anulando poco a poco la presencia del hombre que habían compartido. Julieta le hacía saber, no sin intención, que estaba al tanto de su vida, de la muerte del padrastro, de sus entrevistas en la radio, del libro que ambos debían escribir. Quería dejar claro que no había sido engañada. Y eso era lo verdaderamente paradójico, que aquí, la engañada, había sido la amante. Jorge se ofreció a acompañarla hasta la calle. El silencio en el ascensor ya no fue de tensión sino de tristeza.

—Antes te entendía poco, pero ahora te entiendo menos.

—No te lo creerás pero en algún momento estuve a punto de dejarla por ti.

—¿Ah, sí?

—Pero siempre me ha parecido que tú querías algo mejor que yo.

Decidió volver a casa dando un paseo y mientras bajaba por la calle inhóspita y sin gracia de Doctor Esquerdo, escuchando sólo los ruidos de los coches y de sus tacones al andar, sin cruzarse casi ni un alma en todo el camino, repitió mentalmente todo el curso de la tarde, la subida de los tres en el ascensor, la impresión de haber estado en un piso distinto, la conversación de Julieta, sus dos años en Londres, su deseo de hacer unas oposiciones al cuerpo diplomático, su tesis *Mujer y educación: los manuales domésticos de la Sección Femenina*, la sensación de volver a Madrid, contaba, y en dos años haber encontrado una ciudad distinta, aún no sabía si mejor o peor, pero diferente, llena de bares mucho más modernos, de restaurantes, de yuppies, hasta nuestros amigos se están volviendo yuppies. Y cuando decía «nuestros amigos», observaba a Jorge, que se quedaba mirando a algún punto indeterminado, como si no quisiera confirmar esa existencia de vida en común. Él se mostraba camastrón, acomodado en su vida de siempre, en su dejarse llevar. Al lado de Julieta su falta de ambición vital se hacía aún más evidente. Todos estos pensamientos fluyeron circularmente por la mente de Eulalia, abrazando dos ideas que tuvo muy claras cuando se encontró a las puertas de la verja de su casa. La primera de ellas era que quería vivir sola. No creía que Leonor sintiera un enorme desgarro por su decisión, porque al cabo de un mes, a pesar de echar de menos a Gaspar y de nombrarlo cada dos por tres, se había acoplado de maravilla a su nuevo papel de viuda elegante y había retomado todas las amistades que había dejado de frecuentar desde que Gaspar se empezó a sentir realmente mal. La segunda idea era más compleja y por tanto correteaba en su mente sin encontrar la manera precisa de ser expresada. Era algo así como la sorpresa de no sentirse muy herida por haberle dedicado a un romance tan estéril unos cuantos años y gran parte de su pensamiento, sobre todo era sorpresa al advertir que no se había derrumbado en ningún momento por la pérdida ya definitiva de alguien con quien todavía le gustaba acostarse, más aún, con quien podía estar deseando acostarse. ¿No era eso exactamente, ese deseo, lo que conduce a las personas a la desesperación, el motor que agita las obsesiones, la esencia de las relaciones amorosas, o es que ella era distinta?

Cuando se despidió de Jorge en el portal y echó a andar sabía que él se había quedado mirándola durante un rato. Ella sintió la mirada en su espalda. Había una verdad reveladora en lo que él había dicho: hacía tiempo que Eulalia se daba cuenta de que ese hombre no era suficiente para ella, que no era alguien con quien se pudiera conformar, y pasar la vida. Son cosas que se piensan pero no se dicen. La asustaba encontrarse con ese pensamiento, saber que la falta de ambición de él, sus metas tan cortas, a ella le enfriaban el enamoramiento, y ni el sexo podía mejorarlo. No sólo el sexo es lo excitante, hay que añadirle, cómo se llama a eso, categoría social, económica... Cosas que se piensan pero no se pueden decir. Pero curiosamente lo que le provocó más inquietud no fue descubrir ese lado tan poco inocente de sí misma, sino el reconocer que el nuevo camino que desde hacía tiempo había comenzado a frecuentar no era paralelo e irreconciliable con el de Leonor, como había sido siempre, sino el mismo. Ambas andaban por el mismo camino.

Hasta las situaciones más extravagantes, cuando se repiten, acaban por conquistar el reino de la normalidad, y así fue como acabaron siendo las tardes en las que Jorge y Eulalia se reunían, en el antiguo dormitorio de éste convertido ahora por obra y gracia de Julieta en despacho, para acelerar el proceso de la trascripción de las cintas. Jorge estaba deseando que el trabajo se hiciera, sobre todo, decía, porque se sentía poseedor de secretos de la vida de Gaspar que más que pertenecerle a él le pertenecían a sus hijos, y cuanto antes mejor. En realidad, Eulalia lo supo más tarde, la única que desconocía el hecho que, sin duda alguna, había marcado de una manera brutal la vida de su padrastro era ella, porque tanto Fausto como Úrsula, como su propia madre, Leonor, sabían al menos lo esencial. No es que se tratara de engañarla, como bien explicaba Gaspar en el comienzo de la cinta en la que se contaba el lado más oscuro de su vida, «es que no creo, hija mía, que fuera vital que tú supieras estas cosas, no quería provocarte una inquietud innecesaria y que para nada podía influir en tu vida. Sí que influyó, desgraciadamente, en la vida de tus hermanos, ya sabes que no me gusta decir hermanastros: tus hermanos. Sí que influyó en la vida de tus hermanos, sobre todo en la de Fausto, que tenía edad suficiente si no para entender lo que ocurría sí para padecerlo. Siento que tengo con él una deuda, aunque según tu madre y según Úrsula, la deuda está más que saldada, pero la mala conciencia es caprichosa, no responde a la voluntad de uno y por más que he hecho por este hijo mío difícil, retraído, raro, no puedo dejar de pensar que todo responde a algo que le quité y que ni toda la atención que le he prestado ha podido suplir, aunque haya sido, desde luego, con el que más paciencia he tenido, yo que nunca fui muy padrazo. Pero luego he pensado muchas veces que incluso en esa atención especial que yo le dedicaba a él, gracias a que Úrsula siempre ha sido tan generosa y nunca tuvo celos, la pobre, que podía haberlos tenido, en esa condescendencia que yo tenía hacia él, hiciera lo que hiciera, afiancé su desconfianza hacia mí. Qué cosas raras se le pasan a uno por la cabeza. Como si en cada acto de indulgencia que yo tenía, cuando era un muchacho de quince años, por ejemplo, y me quitó dinero de la joyería, él notara mi deseo de comprar un perdón. Bueno, todo esto lo quitas —le decía a Jorge—, que no va a ninguna parte... Te acuerdas de quitarlo, ¿no?».

Era extraño escuchar tan nítidamente la voz de Gaspar después de muerto, el ritmo acelerado de su respiración, la tos que le impedía a veces seguir hablando, o las interrupciones que de pronto surgían desde lejos: las voces de Úrsula o de la propia Eulalia, entrando al salón y anunciando que la comida ya estaba. Todo adquiría una cualidad sobrenatural y ésa era la razón por la que habían preferido, sobre todo Eulalia, escucharlas en casa de Jorge, donde, al menos, separados la voz y el relato de su ambiente natural, rebajaban su casi insoportable capacidad de impresionar y de provocar dolor. Si las fotos parecen conservar el alma de los muertos, la voz los sitúa en su relación directa con nosotros, nos devuelve intacta la forma en la que nos hablaban. La cadencia de las palabras de Gaspar le retrataba, sobre todo, en sus últimos meses, cuando, convencido de que iba a morirse, sintió la necesidad de hablar. Él, que nunca había sido demasiado hablador.

Escuchando su relato, Eulalia descubrió muchas cosas sobre él, cosas que más que cambiar la opinión y el cariño que siempre le tuvo, le ayudaron a entenderlo, sobre todo en algunos aspectos, por ejemplo, el amor tan paciente, manso a veces, que sentía por su madre. Para empezar, supo que Gaspar no quería que el libro se entregara a antiguos colegas, a amistades, es decir, no se trataba de dejar una constancia vanidosa de su peripecia vital después de muerto. Él quería que estuviera muy claro cuáles eran las personas a las que quería que se entregara el libro: sus hijos, su mujer, y dos ancianos, militantes históricos del Partido Socialista. Y también estaba claro que su padrastro aprovechó la extravagante idea de Eulalia de escribir biografías a domicilio para saldar una cuenta con el pasado. El dinero que le había entregado a su hijastra con la excusa del libro se lo hubiera regalado de cualquier manera. Era una forma de favorecer, antes de morirse y de que entrara en juego el complicado reparto de las herencias, a la hija que todavía estaba en fase de buscarse la vida. En cuanto al dinero destinado a Jorge, estaba justificado por el tiempo que habían pasado charlando, pero también por el afecto que había nacido entre ambos después de tantas mañanas juntos y, de hecho, ese dinero fue completado con el deseo escrito de Gaspar de que le fueran entregados al chico, como él llamaba a Jorge, unos libros muy valiosos para él, la primera edición completa de los *Episodios nacionales* de Galdós.

Pero los libros siguieron en su lugar de siempre, en la vieja estantería de nogal de la calle Amado Nervo. Jorge no se pasó por ellos, aunque desde luego que le había emocionado esa pequeña herencia y que hubiera valorado tenerlos en su propia casa, sin embargo nunca vio muy claro eso de ir un día por allí para dejar dos estantes del salón vacíos. No acababa de encontrar la manera de que esa situación no fuera incómoda y allí se quedaron, tan naturales en su lugar como el cedro que crecía desde hacía casi un siglo en la puerta de la casa.

La tarde en que escucharon la cinta en la que Gaspar contaba el episodio más decisivo de su vida, estaban los tres en la habitación de Jorge. Julieta había vuelto del trabajo y, como siempre, había preparado unos gin tonics. Jorge tenía delante la trascripción que ya había hecho hacía días y repasaba con un lápiz los errores y los espacios en blanco.

«Yo, como te dije, ya en el año 33 estaba muy ligado al Partido Comunista, en aquella época no era raro que los que habíamos militado en las Juventudes Socialistas nos inclináramos luego hacia el Partido Comunista, aunque como malagueño sentía una admiración grande por don Fernando de los Ríos. Málaga era entonces una ciudad muy liberal, pero realmente todas estas decisiones de mi vida o este compromiso político venían dados por los dos viajes que yo había hecho a Madrid. Yo ya me acuerdo que me había quedado obsesionado con Madrid desde que mi padre nos llevara a mi hermano y a mí las primeras veces. Nos hospedamos en una pensión de una señora malagueña parienta lejana de mis padres que se llamaba Rincón de la Victoria, que por cierto, cuando ganaron los nacionales hubo quien pensó que era a modo de celebración lo del nombre, pero qué va, así se llamaba el sitio desde principios de siglo y era en homenaje al pueblo de Málaga de donde era la señora. Pues ya te digo, yo fascinado con la ciudad. Mi padre nos había llevado porque él una vez al año iba, a sus ferias y sus compras de material, y se ve que dijo, esta vez me llevo a los muchachos, entre otras cosas porque quería que entráramos de verdad en el negocio. Con mi hermano lo estaba consiguiendo pero yo había peleado por estudiar Derecho, aunque mi padre veía las notas que había sacado en el bachillerato y no lo tenía muy claro. Lo que te digo, que vi Madrid y dije, aquí me tengo que venir yo. Mientras mi padre se ocupaba de las cosas de su negocio, que en aquellos años estaba boyante, a resultas, claro, de que no participáramos en la guerra europea, pues eso, que vivíamos muy bien entonces, y a lo que iba, que mientras él estaba comprando en los mayoristas nosotros dábamos vueltas por la Castellana o entrábamos al Museo del Prado..., porque mi padre era un hombre sin más miras que su pequeño negocio en Málaga, pero sí que tenía la intención, dentro de que quería que nosotros siguiéramos sus pasos, de que tuviéramos una cultura, una dignidad, como él decía, y en mi casa había ese respeto por el saber, por que los hijos se cultivaran más que los padres, mientras que el saber no interfiriera, claro, en el negocio familiar. Nos levantábamos por la mañana en la pensión, que era casi como estar en casa de verdad, porque entonces las pensiones podían ser tremendas de feas y de sucias, pero aquélla se notaba, según decía mi padre, que estaba en manos de una malagueña y, oye, todo brillaba. Y es verdad eso, que las madres andaluzas tenían mucho gusto por la limpieza. Desayunábamos en la cocina y era muy gracioso porque todos los que nos quedábamos allí éramos malagueños, la señora había montado allí casi su casa regional. Y me acuerdo de ver todas las mañanas a un señorito camastrón de una familia bien de Ronda, llamado Fernando Campos, mantenido por los padres, mientras se suponía que estudiaba Medicina..., pero la cosa es que el tío allí estaba con su bata todas las mañanas y una redecilla en el pelo con la que se levantaba de la cama y no terminó más carrera que la de hacerse falangista y la de liarse con esta pobre mujer viuda, sacarle todo el dinero que pudo y en parte arruinarme a mí la vida por lo que luego te cuento. Bueno, allí en el desayuno, mi padre nos decía, adónde vais a ir, y nosotros siempre le contestábamos, pues al Museo del Prado, cosas que a mi padre le parecían formales, nos daba un dinero y nosotros vagabundeábamos por aquí y por allá, no necesariamente en el Museo del Prado, al que sólo fuimos una vez. Luego me he acordado, de esas cosas que te acuerdas de pronto cuarenta años después, de que un día nos cruzamos en la entrada con un grupo así de jóvenes de nuestra edad, mucho más excéntricos vistiendo, por eso nos fijamos así de primeras. A nosotros se nos debía notar a la legua que éramos, no digo catetos pero sí de provincias, porque eso antes se notaba mucho, aunque mi padre nos había comprado unos sombreros muy finos, ante mi insistencia, pero a pesar de los sombreros, se nos debía notar que no éramos de Madrid. Pues te digo que nos fijamos en el grupo este porque iban así, cómo decirte, pues como dandis, un poco cursi alguno, y luego porque resulta que se nos acercó uno que era malagueño, Emilio, al que conocíamos medio de vista, vaya, se conocían nuestras familias, y que debía ser el único malagueño en Madrid que no se hospedaba en nuestra pensión y se acercó muy educado y nos dijo, me acuerdo porque luego esa frase la repetíamos continuamente mi hermano y yo: “Pues aquí estoy, con un grupo de poetas”, y nos los señaló. No sé qué le veríamos a la frase, si nos parecería redicha, vete tú a saber, pero nosotros que tendíamos a reírnos de todo el mundo, con ese pavo juvenil multiplicado en este caso por dos, pues repetimos la frase hasta acabar hartando a mi padre, que un día la prohibió, directamente. El caso es que luego yo he pensado, mira si por dónde, en ese grupo de poetas estaba García Lorca, que podía ser, claro. Me hace ilusión pensar que sí.

»Como te digo, lo del Prado era una excusa. Mi hermano y yo nos tirábamos como locos a los cafés. Un cafelito con leche para hora, hora y media, y quedarnos allí como tontos a ver entrar y salir gente con esa vitalidad, escuchando esa habla seca de Madrid que nos gustaba tanto y que nos hacía figurarnos que estábamos casi en el extranjero. Yo le decía a mi hermano: aquí nos tenemos que venir a estudiar. Los dos. Porque si no te vienes tú a mí no me van a dejar. Pero mi hermano Paco era un muchacho muy tranquilo, por eso se ve que nos llevamos siempre tan bien, tan maravillosamente bien, que no hubo nunca una sombra entre nosotros. Siempre he pensado en los hermanos Machado, mira qué distintos y qué consideración se tenían los tres. Yo era muy fuguilla, estaba en un sitio y ya estaba pensando en irme al siguiente. A los quince años había pasado por varias vocaciones. Estuve en un grupo de teatro de aficionados de Málaga. Un día quería ser actor y otro periodista. Mi hermano sin embargo se sentía a gusto con la idea de seguir con el negocio de mi padre, y en los veranos se metía con los dos empleados que teníamos en el taller de la joyería que estaba al fondo, en la rebotica, y como era tranquilo y muy habilidoso, con dieciséis años ya sabía trabajar el oro y las piedras casi mejor que mi padre. Pero yo tenía claro que a mi padre le iba a costar mucho más dejarme estudiar en Madrid a mí solo, porque a Paco lo veía siempre como al mayor. Y eso que yo, ésa era una de esas cosas que se contaban siempre en la casa, fui el que salí primero del vientre de mi madre. Si yo me iba a la calle solo, ya estaba mi padre intranquilo, si iba con Paco, la cosa cambiaba, por eso yo tiraba siempre de él. Y es verdad que fue muy sensato desde chico. Mi madre decía: "Yo no sé cómo pueden confundir a mis hijos. Basta con mirarles a los ojos para saber quién es quién. El que te mira enseguida como desafiante, mi Gaspar, y el que baja la mirada, mi Paco. Hasta por la forma de ponerse el sombrero les conozco".

»Una vez que volvimos ya a Málaga el deseo de irme se me hizo más acuciante pero por más que le insistí a mi hermano durante un año, él nada, que no se venía, me decía que no con esa forma tan peculiar que tenía: suave, pero tozuda. Además, se había puesto a trabajar con mi padre, y se había echado una novia, Úrsula, y lo que estaba deseando de verdad era ganar algo de dinero y casarse. Pero me debí poner tan pesado que al que sí convencí fue a mi padre, llegándole a prometer que, si en dos años no le presentaba unas buenas notas, me volvería para Málaga. Ése era el trato. Y en el año 19 volví a Madrid, a la misma pensión, con la misma doña Esmeralda y con otros malagueños entrando y saliendo de las habitaciones; el único que seguía allí, como atornillado a la silla de la cocina, era el tal Fernando Campos de la redecilla y la bata. Debajo de la bata en vez del pijama aparecía el individuo con los calzoncillos esos largos de felpa, que me acuerdo que luego se lo contaba yo a mi padre y él decía, será guarro el tío. El tío estaba en su salsa porque el tío ya se había liado con la tal doña Esmeralda y vivía como Dios, con el dinero que le mandaban sus padres, que imagino que ya no pagaría ni la habitación, dándose la gran vida. Ahora, que yo tampoco puedo hablar, porque los dos años que me tiré en Madrid fueron la gloria misma. Saqué un curso de Derecho, el primero, raspando, y el segundo ya nada, cero. Pero lo pasé..., la mejor época de mi vida. Ya te lo contaba el otro día. Escribía a mis padres, me inventaba resultados de exámenes, les presentaba un panorama tranquilizador en el que me pintaba a mí mismo estudiando, saliendo poco, haciéndome un hombre, y luego, pues imagínate, la Universidad Central sólo me sirvió a mí para hacer amistades, algunas de ellas, decisivas, como la amistad que hasta el día de hoy sigo teniendo con Julián, que fue el que me enseñó lo que era el socialismo, bueno, lo que entendíamos entonces por socialismo... De todo esto ya hablamos el otro día, de Julián y mis primeros pasos en la política, pero te lo he vuelto a nombrar porque luego, después de la guerra, y ayudado por su padre, que era un notario muy franquista, pero no era una mala persona, me echó una mano para establecerme en

Madrid y empezar una nueva vida, alejado de todo aquello. Y vamos a todo aquello...

»En el año 36 yo estaba viviendo en Madrid. Llevaba unos cinco años. Porque mi padre ya había desistido de intentar encarrilarme. Y ya claro, sin un duro, sin ayuda familiar, me puse a trabajar de ayudante de mi amigo Julián, que ése había sido más listo que yo y a pesar de todos sus sueños ideológicos había terminado su carrera y estaba estudiando para notario. Mi señora Esmeralda no tenía habitación pero me buscó un chollo por allí cerca, un pisillo chico, y cuando yo me quedaba a dos velas, me pasaba por la pensión y la mujer, que ya se había convertido casi en una tía para mí, me daba de comer un puchero que yo me comía junto al de la redecilla, que ya por entonces se había hecho de Falange, y si antes nos caíamos mal, ahora nos caíamos peor. En el sindicato, en la Unión General de Trabajadores, que yo visitaba con frecuencia porque estaba sindicado y porque eran momentos, imagínate, de gran efervescencia social, conocí a una muchacha, mucho más joven que yo, diez años más joven. Adriana se llamaba. Menudilla, bajita, delgada, muy guapa, con unos ojos preciosos, y tremendamente lista. Era costurera, y siempre andaba del brazo de una bordadora también muy graciosa, Petra Cuevas, que fundó por esos años lo que ellas llamaron el Sindicato de la Aguja. Me gustaba verlas llegar por la calle Sevilla, las dos tan menudas, tan jóvenes, tan valientes. Yo me enamoré como un loco de esta muchacha, de Adriana. Era muy raro entonces poder compartir con una mujer lo que se llaman las inquietudes, y hablar de todo, de política, tener una compañera. Y esta muchacha reunía todas esas aspiraciones o utopías o llámalo como quieras, a mí es que me parecía estar con la mujer más atractiva del mundo. Pensándolo ahora te diré que no es que yo le echara mucha fantasía al noviazgo, es que era verdad que era una chica muy especial y que además era guapa y yo estaba que me sentía flotar. Le pedí que se casara conmigo y me hice el firme propósito de volver a estudiar el curso siguiente, el del 37, para darle un porvenir mejor que el que nos esperaba si me quedaba siendo un ayudante sin más de un abogado. Ella me presentó a una tía soltera con la que vivía en Madrid porque no tenía madre y a su padre no lo veía desde que era chica. Llamé a mis padres, a ellos les pareció, como siempre, que yo me daba mucha prisa en todo, pero accedieron a que yo viajara con la chica a Málaga para presentársela. En realidad, yo tenía previsto casarme ese mismo verano, aunque todavía no se lo había dicho a ellos. Y también tenía previsto pedirle dinero a mi padre para empezar a ponerme un piso decente en Madrid. Pero empezó la guerra y todo se retrasó.

»Nos decidimos a viajar a Málaga a principios del año siguiente. Me acuerdo de su cara en el viaje, pálida, algo mareada y más temerosa por reunirse con sus suegros que por todas las dificultades que había tenido en la vida o por su decidida actividad sindical en ese momento tan difícil. Parecía más pequeña todavía de lo que era. Se quedó dormida mucho rato. El viaje en el tren fue larguísimo y agobiante. A Adriana, el sudor le mojaba los ricillos claros que le bordeaban la frente. Me acuerdo como si la viera ahora, la veo respirar un poco agitada a veces, agobiada seguro por un vestido de lunares pequeños, rojos, que se había puesto por si mis padres venían a la estación a buscarnos. Sentí unas ganas enormes de protegerla, de que nadie pudiera decirle nada grosero o herirla, hacerla sentir que era poco para mí. Cuando llegamos, por supuesto, mis padres no estaban, supongo que era una forma de resistirse a que aquello se formalizara. Estaba Paco. Me dio mucha alegría ver su sonrisa entre la gente, y el abrazo que me dio y lo afectuoso que fue con ella. Pobrecilla, estaba asombradísima de vernos tan parecidos, y nos miraba a uno y a otro todo el tiempo. Mis padres habían pensado que ella se quedara en casa de una amiga que de vez en cuando alquilaba habitaciones, así que allí fuimos, la dejamos instalada y quedamos en pasar a recogerla al mediodía siguiente para que conociera a los futuros suegros. Que no son tan malos como te habrá dicho éste, decía Paco, intentando tranquilizarla.

»Yo sabía que las cosas estaban muy mal en España, que la guerra podía durar mucho más tiempo, todos lo sabíamos, pero también te diré que muchos de los que teníamos una conciencia política y nos dábamos cuenta de que aquello estaba siendo un gran baño de sangre, también teníamos la voluntad, no ya de ganar la guerra si se terciaba, sino de hacer la revolución. Y a mí eso, es tontería, pero me daba fuerza y me quitaba el miedo. Y no sentí miedo cuando al ir a la casa mis padres me dijeron que dos individuos habían ido preguntando por mí. El cómo sabían que yo había llegado no lo supe hasta mucho tiempo después.

»Presenté a Adriana a mis padres. No era la chica que ellos habrían querido para mí, una chica como Úrsula, de Málaga también, con pinta de poder llevar una casa, y con una familia por detrás que la respaldara, pero ahí era mi novia, sin nadie prácticamente en el mundo, pequeña como un pájaro, pero con tanto candor que por lo menos empezaron a entender que yo me hubiera enamorado. Fueron días en los que se mezclaba el miedo con la emoción. Paseábamos del brazo por el centro, bajando por la calle Larios hasta el puerto, sentándonos en los bancos del Paseo de la Alameda.

»En febrero, a punto de volvernos casi a Madrid, así lo habíamos decidido, los nacionales entraron en Málaga. Mi padre nos hizo bajar al taller a mi hermano y a mí para que mi madre no pudiera escuchar nuestra conversación. Allí me dijo que debíamos volver esa misma tarde, que me daría un dinero, pero que no podíamos quedarnos y esperar a que pasara cualquier cosa. Mi padre le pidió a Paco que fuera a casa de la amiga de mi madre, a decirle a Adriana que lo tuviera todo preparado para intentar escapar cuanto antes a la otra zona. Mi padre quería aprovechar la ausencia de Paco para hablarme con más franqueza, sin andarse por las ramas. Me dijo que me daría un dinero, sí, pero a condición de que dejara de frecuentar mis amistades políticas. En realidad, mi padre sabía muy bien que mi relación no consistía sólo en tener "amistades". Esmeralda le había puesto al tanto de que Adriana estaba en el sindicato y yo era militante del Partido Socialista, pero le horrorizaba darse por enterado. Si quieres a esa chica no te andes ahora con bobadas, toma el dinero que te doy y cuanto menos os signifiquéis, mejor.

»Nunca me dio tiempo a pensar en lo que me estaba proponiendo. Nunca. Un empleado entró en el taller jadeante, le puso la mano en el hombro a mi padre y empezó a decir algo que no llegábamos a entender porque se le quebraba la voz a mitad de la frase. "Creen que es Paco —decía el hombre—, pero yo no lo sé, no le he llegado a ver la cara, allí mismo le ha visto un médico que se ha atrevido a bajar a la calle, lo traen en brazos desde la calle Chirinos, pero igual no es él, no le he visto bien la cara, igual es otro...". Mi padre fue corriendo y me prohibió que yo saliera. Me quedé dando vueltas por la habitación, sintiendo un dolor en los riñones que casi me obligaba a doblarme.

»Lo habían matado. En realidad, no lo habían matado a él. Me habían matado a mí. Eso creyeron. Sabían, desde luego, que éramos dos, pero tenían la certeza de que el que iba de camino a la pensión era yo, así que cuando vieron a mi hermano salir de la joyería y emprender el camino que yo tomaba todos los días, le siguieron, y cuando lo vieron entrar en el portal no les cupo la menor duda. Entraron tras él y allí mismo le mataron. Tres tiros. Dos en la cabeza, uno en el pecho.

»Se llevaron al bueno, dijo mi padre. Aunque luego, tiempo después, me pidió perdón varias veces por haberlo dicho, yo sabía que así mismo era como lo sentía. Cuando el empleado de mi padre fue por la tarde a contarle a Adriana lo que había pasado, ella ya no estaba. Nadie llegó a tiempo para decirle que el muerto no era yo. Sólo le dio tiempo a ver cómo se llevaban el cuerpo de mi hermano entre varios muchachos. Alguien la aconsejó que se fuera corriendo, que cabía la posibilidad de que vinieran a por ella. Ya no volví a verla.

»Ese cuarto, el pequeño taller que había en la trastienda de la joyería, fue todo mi paisaje durante la guerra. Podía haberme escapado, ir a buscarla a Madrid, pero no lo hice. Mi padre me dijo que no quería perder otro hijo y que cuando pasara toda aquella pesadilla yo debería hacerme cargo de Úrsula, la viuda de mi hermano, y de sus dos niños pequeños, ocupar su lugar. Y yo creí que ésa era la manera más justa de pagar mi culpa porque, aunque mis padres nunca me lo hicieron saber, siempre pensé que en la mente de todos estaba que yo había sido el culpable de la muerte de Paco, parecía que él pagó con su muerte lo que estaba destinado a mí, lo que yo me había buscado con la vida que había elegido. Ya sé que en una guerra mueren inocentes, pero él era más inocente que yo.

»En tres años de guerra en una habitación se piensan muchas cosas. Muchas veces, mientras aprendía inevitablemente a ser paciente, a trabajar las pequeñas piedras preciosas, en un empeño por hacer algo, por tener las manos ocupadas, a pesar de que cesaron los encargos y la tienda se cerró, yo repetía meticulosamente en mi mente todos los momentos vividos en aquel viaje. Adriana durmiendo en el tren, el sudor en las sienes, el deseo que sentí en aquel instante de no separarme jamás de ella, la llegada a la estación, la sonrisa de Paco, la forma en que mis padres observaron a mi novia el primer día, la advertencia de mi padre: Gaspar, han venido a buscarte, te están buscando y esto se está poniendo muy feo. Eso era lo que me provocaba más angustia, mi falta de miedo, el no haber tenido la astucia de volver a Madrid cuanto antes, el no haber sabido evitarle una muerte. Sólo tuve valor para llamar a Julián y pedirle que buscara a Adriana. La buscó y no la encontró. No había ni rastro de ella. No hice más. No creo que fuera sólo cobardía lo que me dejó incapaz de tomar una decisión, ni la presión de mis padres para que no saliera ni a la puerta de casa, probablemente lo que me había vencido era que yo jamás había previsto, entre todos los horrores que uno imaginaba que podían ocurrir en España, que mataran a mi hermano. Más aún, dejando a un lado la guerra, nunca había pensado que muriera mi hermano. Hacía tiempo que yo vivía en Madrid, él en Málaga, pero eso nunca nos distanció. No sé si será porque éramos gemelos, y los gemelos tienen una relación muy estrecha. Nosotros la teníamos. Cuando éramos chicos nos poníamos malos a la vez, pero lo curioso es que ya siendo grandes, estando yo en Madrid, siempre que nos llamábamos, que era en contadas ocasiones, daba la casualidad de que el otro quería decirnos algo, como si hubiéramos intuido que había esa necesidad.

»Me quedé paralizado, escondido, refugiado en casa de mis padres, compartiendo el miedo con ellos, como si mi falta de coraje les compensara en algo por lo que había pasado. Úrsula y los niños, Fausto y la pequeña Úrsula, que debía tener entonces dos añitos, vivieron a partir del asesinato de mi hermano con nosotros. La niña no tenía edad para advertir nada. Debió pensar que su padre se había vuelto más hosco, menos afectuoso, porque aunque yo intentaba darles algún cariño me costó mucho aceptarlos íntimamente como hijos. Fausto tenía ocho años cuando asesinaron a su padre. Nadie en mi casa perdió el tiempo en darle explicaciones de lo ocurrido, pero él pareció entender el nuevo orden de las cosas, entendió enseguida el terrible secreto que marcó para siempre su relación conmigo. Nunca me dijo nada, no me dijo, tú no eres mi padre, no. Puede que hubiera sido mejor, pero yo he notado siempre que eso estaba entre nosotros, como si nada de lo que yo hiciera fuera suficiente para pagar la deuda. En el año 42 me vine a Madrid. Mi padre vendió unas fincas y me dio el dinero necesario para empezar el negocio lejos de aquel lugar en el que yo no me sentía capaz de vivir. Siempre he vivido con la documentación de mi hermano, en ningún documento figura mi nombre, oficialmente soy Francisco Almagro. El exceso de celo de mis padres llegó hasta un punto tan macabro que en el mármol de mi hermano está grabado mi nombre. Úrsula y los niños vinieron a los pocos meses conmigo. De Adriana supe que estaba en la cárcel...

»Al principio Úrsula y yo dormíamos en habitaciones separadas. En realidad yo no quería, no tenía previsto, que acabáramos siendo un matrimonio aunque así figuráramos en los papeles. Pero yo me iba colando en su habitación de vez en cuando hasta que me instalé. Fausto era un testigo muy incómodo de todo aquello. El niño, que tantas noches se pasaba a la cama de su madre, fue desplazado para siempre de ella. Y a todo obedeció con una docilidad muy chocante porque nosotros sabíamos que estaba profundamente herido. Entonces no se estilaban los psicólogos, uno tenía que adaptarse a lo que le había tocado. El otro día me acordé de un detalle pequeño pero muy significativo: Fausto siempre me llamó papá delante de sus amigos, delante de la gente, pero nunca en casa. En casa, cuando estábamos solos los cuatro, siempre me llamó Gaspar. Para que veas cómo sutilmente nos hacía notar no sólo lo bien que se había enterado de todo sino que él siempre había permanecido fiel a la verdad. Esa sutileza se la atribuiríamos a un adulto, a alguien que ha elaborado muy bien su pequeña venganza, que al final no ha sido tan pequeña porque ha durado toda la vida. Sobre todo no era tan pequeña porque el daño que te hace un niño es mucho más doloroso, porque no es un daño elaborado, es el daño sincero que viene directamente del corazón y que se les escapa como a uno se le escapan las manías, sin poder controlarlo. Él se ha resistido toda la vida a que yo sea su padre, aunque con los años me tomara, como es natural, un cariño grande expresado de una forma muy distante, muy seca. Y por supuesto no le culpo de nada, a veces pienso que si fue tan tenaz en su rencor fue precisamente porque era un niño muy sensible. Ahora sería inconcebible someter a una criatura a ese secreto que manteníamos entre todos de cara a los de fuera. De puertas adentro, el silencio, porque del pobre Paco no se habló en mucho tiempo. No hablaron mis padres, supongo que porque les suponía un esfuerzo casi físico, ni hablamos tampoco Úrsula y yo, al principio por la extrañeza que nos producía a los dos el vernos abocados a convivir, y después por la culpabilidad, por acabar suplantando verdaderamente el puesto de otro.

»Ahora pienso lo que nunca me atreví a pensar, que yo también salí perdiendo, a pesar de que quise a la madre de los niños y me porté con ella como si fuera mi mujer. Aquélla no fue nunca mi vida, no se parecía en nada a lo que yo había deseado. Ni tan siquiera mi Madrid, el que viví durante los años treinta, se parecía al que volví en los años cuarenta. Claro, que eso también se debía a la posguerra, al franquismo, pero yo siempre pensé que no sólo era por eso. De la misma manera que mi hermano murió en mi lugar, yo viví en el suyo. Antes pensaba mucho en cómo hubiera sido todo si él no hubiera muerto. Adriana y yo habríamos vuelto a Madrid, habríamos luchado en la guerra, yo hubiera ido al frente, y si hubiera salido con vida probablemente no nos habríamos quedado en España. Sería una batalla mucho más digna que contar, ¿verdad? Porque lo mío..., lo mío no es batalla.

»Un año por navidades, sería el año 51, iba yo por la plaza de Santa Ana y alguien empezó a gritar a mis espaldas, ¡Paquito, Paquito! Caí en la cuenta, la voz me sonaba y al fin me di por aludido. Era doña Esmeralda, la dueña de la pensión. Me abrazó con fuerza, con lágrimas en los ojos y se empeñó en que subiera a su casa, que seguía igual, aunque a mí me pareció que con menos encanto, todo mucho más viejo. Tomamos un café y fue muy triste y muy raro porque la mujer me habló durante mucho rato y con mucho cariño del que ella creía que era el muerto, o sea, me habló de mí mismo, de mí en los mejores años de mi juventud. Tu hermano murió muy joven, me decía, pero hay gente que se muere de vieja y no huele lo que es la vida. Si de algo puedes estar tranquilo es de que Gaspar la disfrutó pero bien. A lo mejor yo tenía que haber llamado a tu padre y haberle dicho, don Francisco, el chico no está estudiando nada, el chico se está metiendo en asuntos que no sé yo, pero me daba pena, porque yo le tenía cariño, y él a mí, él a mí más que cariño, porque yo hace once años, con cuarenta y cinco, todavía tenía un ver, y tu hermano hasta que empezó a andar con la chica siempre me buscaba, tontamente, sin ser grosero, pero me daba un beso de pronto, cosas así. Eso le quemaba la sangre a Fernando, al mierda que yo tuve aquí durante años. Casi de gratis estuvo el tío, y al final exigiendo como si estuviera en su casa. Lo tuve aquí escondido durante toda la guerra para que no se lo comieran los rojos, que gracias a mí se puede decir que está vivo, y ya ves, en cuanto ganaron, se puso chulo. Estuvo aquí hasta el 41, luego se casó y se fue. Se casó con una muy perita, y a mí, si te he visto no me acuerdo. Tuvimos una pelea días antes de que se fuera, y no me preguntes por qué salió a relucir tu hermano. El muy asqueroso me contó que había sido él el que había llamado a unos camaradas de Málaga para darles el chivatazo de que el chico iba a pasar unos días allí con la muchacha de la UGT. Eso ya me dio la puntilla. Eso sí que no se lo he perdonado, fíjate, lo otro, el que se fuera sin más, casi te digo que fue una suerte. Me lo he encontrado dos veces por la calle, y él ha hecho amago así de saludarme pero para mí está bien muerto. A la que sí vi un día, ahora debe hacer un año, fue a la chica, ya no es una chica, claro, es una mujer, se notaba que la vida le había dado duro. Me dio un teléfono por si alguna vez necesitaba alguien que me cosiera. Bueno, espera, me lo escribió su hijo, un muchacho de unos catorce o quince años. Yo me quedé mirando al chaval con mucha curiosidad porque me dio por pensar, de esas ideas que de pronto te vienen a la cabeza, si no sería hijo de tu hermano, porque por la edad del chaval más o menos podía ser, y me pareció que a ella le ponía un poco nerviosa que lo mirara tanto, como si temiera que yo fuera a soltar alguna indiscreción. Luego no la he llamado porque la verdad es que en estos años me he visto apurada y si me he tenido que coser algo me lo he cosido yo misma. Pero alguna vez he pensado en ella. Mira si por casualidad hay un hijo de tu hermano por ahí rondando..., porque ellos tuvieron relaciones íntimas, de eso estoy segura. Alguna tarde la colaba hasta su habitación. Me lo contaba el tal Fernando. A mí no me hacía gracia ninguna. Un día le dije, Gaspar, sé lo que estás haciendo y en mi casa, no, y ándate con ojo que tú acabas llevándole a tu padre una barriga. Él se quedó muy aturdido, me dijo que no se volvería a repetir y que se quería casar con ella. Pero se repitió, cada vez que la metía en el cuarto yo me enteraba porque me lo contaba el chivato de mierda. A él es al que tendría que haber echado, él sí que era un cabrón, y no tu pobre hermano, que lo único que hizo fue disfrutar la vida.

»Yo la escuchaba como si estuviera escuchando de verdad la vida de otro. Sentí una tentación casi dolorosa de decirle, soy yo, aunque no lo parezca, estoy vivo. Pero no lo hice, no hubiera podido soportar la sorpresa, la incredulidad, no hubiera podido enfrentarme a las preguntas. Le pedí que me diera el teléfono de Adriana. Ella lo buscó y me rogó que no le dijera quién se lo había dado. No quiero líos, me dijo, y hoy en día te buscas líos a la menor.

»Llamé a Adriana varias veces. Llamaba y, al escuchar la voz de un chico, colgaba, alguna vez también me contestó un hombre. Al fin escuché su voz. Le dije, soy Paco, el hermano de Gaspar. Prefería decirle que era Paco porque no quería que pensara que se trataba de una broma macabra. Ella tardó casi un minuto en decir algo, casi un minuto, y yo esperé porque me imaginaba todo lo que podía estar sintiendo. Me gustaría verte, le dije. No creo que sea una buena idea, me dijo ella, no sé si a mi marido le gustaría. Por favor, le dije, sólo quiero hablar contigo un rato, no es nada más que eso.

»Probablemente fui egoísta porque nadie espera recibir de pronto la visita de un muerto. Quedamos en un bar de la calle Atocha, en el lugar menos adecuado para las grandes confesiones, aquello no tenía nada de íntimo, pero es que a ninguno de los dos se nos ocurrió otro sitio. Se ve que ninguno teníamos tiempo para salir por ahí a merendar. La vi antes de que entrara al bar, cerró el paraguas y se arregló un poco los rizos, de la misma manera que la había visto hacerlo tantas veces. Habría salido a abrazarla pero me quedé sentado, mirando, creo que ya en ese momento se me habían llenado los ojos de lágrimas, la vi buscarme con la mirada, abrirse paso entre los viajeros que acababan de llegar a la estación o que se iban, que llenaban el espacio con aquellos maletones atados con cuerdas. Era uno de esos días terribles de lluvia en los que en los bares el olor a fritanga y a serrín se hacía más denso. No era el mejor sitio para volver a verla. Cuando la tuve delante nos quedamos mirando el uno al otro. Yo tomé su mano y la apreté con fuerza. Sí, tenía razón Esmeralda, se notaba mucho que no lo había pasado bien. Los dos estábamos llorando, sin ruido, con el deseo de que en un lugar tan abarrotado de gente nadie cayera en la cuenta, nadie se fijara en nosotros. Nos sentamos y yo seguí teniendo su mano entre las mías bajo la mesa de cinc. Por fin, me atreví, la miré a los ojos y le pregunté: ¿es que no sabes quién soy?; ella me miró, notaba que su mirada me recorría el pelo, los ojos, la boca, los hombros. ¿No eres... Paco?, preguntó. No, le dije.

»Me soltó la mano de pronto, con un movimiento brusco como si se hubiera llevado un susto terrible, la taza de mi café se cayó al suelo y la gente nos miró un momento. Se levantó y salió casi corriendo. Dejé el dinero sobre la barra. Tenía mucho miedo a que ya no me fuera posible hablar con ella. Cuando salí del bar estaba esperándome bajo la lluvia. Entre sollozos, me dijo, no puedes hacerme esto, después de todo este tiempo, no puedes venir ahora desde el otro mundo, qué piensas que te puedo decir yo ahora. Ay, Dios mío, Dios mío, esto sí que no me lo merezco. La tomé del brazo y echamos a andar como si los dos tuviéramos un lugar al que llegar. Acabamos paseando en el Retiro. Yo le dije, perdóname, pienso tantas veces que me debería haber muerto.

»Ella había pasado unos años en la cárcel. Después salió y discretamente volvió a coser, discretamente porque ya no la habían admitido en su taller de siempre, la encargada no quería comprometerse, aunque alguna antigua compañera le pasaba trabajos de tapadillo. Pero las dos tenían que andarse con ojo, me contaba, porque la jefa un día le dijo a mi amiga, este bordado parece hecho por Adriana. Nadie bordaba como yo, y hay gente como esa individua que todavía se acuerda y me la tiene jurada. No le basta con el tiempo que he pasado en la cárcel, tengo que pagar hasta que me muera, trabajando bajo cuerda y presentándome cada mes en la policía. Un día estaba tan cansada, tan harta de ir allí, con una sensación de injusticia tan grande que le pregunté al guardia: "Oiga, y esto, ¿para qué sirve?", y el guardia me dijo que para que no se me ocurriera fugarme. "¿Fugarme? —le dije casi riéndome—, ¿pero usted me ha visto bien, pero usted se cree que si yo hubiera tenido más dinero y más posibilidades no me habría fugado ya? Aquí me iba a quedar yo. Aquí estoy porque no me queda más remedio". Y entonces se me acercó otro guardia con menos paciencia y me dijo con un tono que me dejó en el sitio: "Como se ponga chula se queda aquí a esperar la firma del mes que viene". Y nada, tuve que bajar la cabeza y callarme, qué iba a hacer. Ahora ya no bordo, ahora corto, hago trajes en casa. Es duro, pero también me gusta. Me gusta estar en casa...

»¿Tienes un hijo?, le pregunté; ella me miró como si la pregunta fuera tan inesperada que le hubiera producido algún dolor físico; sí, me dijo; ¿es mío?; sí, sí, es tuyo.

»Pero no, ya no es tuyo, me dijo. Ya no es tuyo. Yo no sabía que estaba embarazada cuando volví a Madrid, bueno, a lo mejor tenía una ligera sospecha. Tuve al niño, claro, aunque era una locura. Los dos estuvimos en casa de mi tía, que se portó mejor de lo que yo podía esperar. Con el crío ya no pude andar mucho por ahí el resto de la guerra aunque seguí frecuentando el local del sindicato y haciendo labores para los soldados. Cuando cayó Madrid yo me di cuenta de que podían venir a por mí y le escribí una carta a tu padre en la que le contaba que tenía un nieto, que hicieran lo posible por ayudarle. Tu padre tardó mucho tiempo en contestar, yo creo que casi un año. Mi tía me llevó la carta a la cárcel. En la carta me decía más o menos que lo sentía en el alma pero que no estaba en una buena situación como para ayudarnos, que tal vez en un futuro, cuando las cosas ya se hubieran tranquilizado del todo, pero que en ese momento le resultaba imposible. Yo pasé en la cárcel cuatro años. Mi tía lo cuidó con más cariño que el que nunca me tuvo a mí, como si fuera su nieto. Al salir me encontré un día con uno de los hombres que hacían portes en el taller para el que yo trabajaba antes de la guerra. Él conocía muy bien lo que me había pasado. No tuve que engañarle, sabía quién era yo antes de la guerra, sabía que acababa de salir de la cárcel y que tenía un hijo, y eso hizo que todo fuera mucho más fácil para mí. Ha sido muy generoso porque yo no he podido darle más hijos que el que ya tenía. Una infección que pasé en la cárcel me quitó para siempre la posibilidad de poder tener otro. Así que es su hijo, y para mi hijo él es su padre. No puedo decirte otra cosa. Aunque creo que sí que puedo pedirte que no se te ocurra nunca decirle nada al chico porque él dejó de ser huérfano el día en que me casé y así tiene que seguir siendo. Tiene un padre, el que le ha criado, le dio un apellido y le hizo ir a la escuela con la cabeza bien alta.

»Adriana y yo no nos volvimos a ver hasta muchos años más tarde. Después de aquel encuentro volví a casa y le escribí una carta a mi padre, le dije que nunca le perdonaría el que me ocultara aquello, y aún menos le perdonaría que no hubieran tenido un mínimo de humanidad con el que era tan nieto suyo como los otros nietos. Él se disculpó, dijo que tenía miedo a que me marchara y les dejara con la responsabilidad de los niños. Nunca le perdoné, aunque mi madre intentó muchas veces que hiciéramos las paces. En realidad, es cuando empecé a pensar que habían tenido muy poca compasión conmigo, que me habían hecho pagar de alguna manera la muerte de mi hermano.

»Te decía que a Adriana la vi una vez más. Fue en la primera fiesta del Partido Comunista, en el 76, así que echa la cuenta de los años que habían pasado. Ya éramos dos viejos pero nos reconocimos enseguida. Está claro que nunca nos íbamos a encontrar en el lugar adecuado ni en la situación adecuada. Esta vez era en el stand de Cuba. Yo me había llevado a Leonor allí protestando porque ya sabes que a ella todo lo que huela a política le aburre enormemente, y se me ocurrió que ése era el sitio que más animado podía estar. Había una música altísima de esta cubana y gente bailando por allí y bebiendo. Fuimos a pedir algo a la barra y allí estaba, con un grupo de... camaradas, sería. Ya digo que enseguida nos conocimos. Esta vez sí que nos dimos un abrazo. Sin pensar en nada ni en nadie de los que me rodeaban me puse a llorar sin soltarla. Qué, me dijo, ¿es que cada vez que nos veamos vamos a tener que llorar?

»Cuánto me alegré de verla, cuánto me alegré de ver a una mujer tan digna, tan fuerte que casi me hacía daño al abrazarme. Me presentó a su marido, un hombre rudo, que me tendió una mano recia, con ese tacto seco que da el trabajo manual. Él no dijo mucho más, siguió hablando con sus amigos, y Adriana se presentó de esta manera a Leonor: "Soy una amiga de antes de la guerra". La alegría había vuelto a su cara y casi podría decir que la juventud a su mirada. Tenía el pelo blanco, la melena corta y rizada, como siempre. Llevaba pantalones y un chubasquero de esos de los jóvenes, y un pañuelo rojo con las siglas del PCE al cuello. Era increíble porque se había borrado de su cara cualquier rastro de amargura, como si todo el sufrimiento del pasado se hubiera esfumado para dejar paso a su fortaleza natural, ese vigor tozudo que la había ayudado a salvarse de la pena, de la enfermedad, de la desesperación por haber tenido que estar tanto tiempo separada de su hijo, y que ahora la hacía parecer una anciana ligera, alegre, juvenil, con el aspecto de esos ancianos que agarran un bastón y suben una montaña sin que parezca que el cansancio les vence.

»¿Estás en el partido, Gaspar?, me preguntó; no, no estoy en nada. En ese momento la conversación se interrumpió porque un muchacho de unos quince años se acercó a pedirle dinero. Es mi nieto, tengo tres, sus padres andan por ahí, y éstos vienen a pedirles pasta a los abuelos, que es lo que saben hacer.

»Me di cuenta de que el marido de Adriana nos miraba de vez en cuando, no con hostilidad, pero sí con cierta desconfianza, sobre todo desde el momento en que apareció el nieto. Disimuladamente, me fijé en el chico. Disimuladamente, digo, no quería ofenderles. Me dio la impresión de que se parecía a mi hermano. Tú dirás, qué tontería, se te parecería a ti o a los dos. Sí, supongo que se nos parecía a los dos, pero claro, yo no sé percibir si alguien se me parece, en cambio sí que sé si alguien se parece a mi hermano.

»Volví a abrazar a Adriana antes de marcharnos. Yo te quise mucho, me dijo al oído. Yo más, le dije, yo más.

»Salíamos ya del barullo cuando oí su voz. Me gritaba, porque no había otra forma de entenderse con aquel ruido: "¡Gaspar, tienes una mujer muy guapa, cuídala!". A Leonor le cayó fenomenal, te puedes imaginar que influyó mucho en su juicio aquel comentario sobre su belleza. No, ahora en serio, ha sido una suerte que yo le haya podido contar a Leonor todo sin que eso causara ningún problema.

»Fue maravilloso verla aquella noche. Fue tranquilizador para mí verla tan alegre, tan acompañada en el mundo, porque he vivido lleno de remordimientos. Nunca tuve buena conciencia con respecto a ella.

»Tres mujeres he tenido, Jorge, tú qué dices. Cualquiera diría que me he pasado la vida de juerga. Bueno, no ha estado mal. Con la que más viví fue con Úrsula. Úrsula, siempre atenta a todo, siempre en su sitio, ha sido la mujer más recta que he conocido. Era muy religiosa, pero a mí no me molestó nunca con eso. Como te decía, nunca hablamos de las circunstancias que nos habían llevado a estar juntos, o hablamos muy poco. Por supuesto, tampoco Adriana estuvo nunca en nuestras conversaciones. En su momento le conté nuestro encuentro en Atocha, pero yo noté que a ella ese asunto la perturbaba mucho. Aunque sabía que habíamos llegado a ser un matrimonio de la forma más anormal posible, ella, una vez que decidimos estar juntos en todos los sentidos, no quiso ser una segundona, quiso ser mi mujer con todas las de la ley. Y así acabó siendo. No sabes cómo se puso la calle el día que murió. Era una de esas personas que viven sin hacer ruido, pero cuando se van uno nota mucho su ausencia.

»Leonor fue un lujo. Fue un lujo para un viejo como era yo, que ya no tenía previsto casarse para nada y pensaba apañarse viviendo de las fantasías, que entrara en casa una mujer joven y una niña pequeña. Ser padre de viejo es lo mejor que me ha pasado. Anda que no me han llamado veces abuelo por la calle cuando iba con Eulalia de la mano. Ser padre mientras envejeces es la cosa más dulce que hay. Ya te digo que no he sabido nunca muy bien cómo hablar con los niños pero me quedaba mirando a Eulalia mientras hacía los deberes, o la veía llegar del colegio. Es rara mi familia, ¿verdad? Lo bueno de Leonor es que nada le parece raro. No cae en la cuenta. Fue un lujo para un viejo que entrara en casa una mujer joven y tan extravagante como es mi señora. No hay comparación ni palabras para Leo. Pero dime, ¿a qué otra mujer le puedes contar tu pasado sin que se ofenda o sin que sienta celos? Después de dedicarme toda la vida a hacer lo que tenía que hacer estaba bien que sacara un poco los pies del plato. Claro que desde hace unos años, desde que me he sentido verdaderamente viejo, no he estado a la altura de la vitalidad de mi mujer. Entonces me consolaba pensando en mí como en el viejo Feijoo, el personaje de Galdós que recoge a Fortunata en su casa. Feijoo nunca resulta patético, es una especie de bienhechor que, por supuesto, también tiene sus compensaciones. A mí, creo que como a Feijoo, no me cuesta nada ser bienhechor, porque las compensaciones, para un viejo, son impagables.»

La vida de Gaspar Almagro, así se llamó el libro. No estuvo listo hasta dos años después de su muerte y no porque la redacción fuera especialmente complicada, ya que se trató de la simple trascripción de las palabras de Gaspar, sino por la propia extrañeza de aquella nueva relación triangular, que a pesar de los intentos de Julieta por hacer que fluyera de una forma natural, padecía de un mar de fondo que amenazaba constantemente ese nuevo equilibrio. Cada vez que Eulalia los había visitado, Jorge se las ingeniaba para buscar un momento de estar a solas con ella y hacerle ver, a veces sólo con una mirada, pero una mirada muy poco sutil, que sus sentimientos no habían cambiado. Era un empeño que no dejaba de ser cómico, en ocasiones se producía mientras Julieta estaba preparando algo en la cocina o mientras estaba en el baño, o en esos escasos minutos en que la acompañaba a tomar un taxi de regreso a casa. Y a Eulalia todo le parecía tan pobre, tan mezquino, que empezó a verlo como a ese tipo de hombre que se conforma con tocar vergonzantemente a otras mujeres en el momento fugaz en que la suya mira para otro lado. Si al menos hubiera sido más valiente, si le hubiera propuesto un polvo rápido, si se le hubiera abalanzado en el ascensor y le hubiera metido la lengua hasta los zapatos. Pero de qué vale un hombre manso que no le da valor a lo que tiene ni se atreve con lo que tal vez hubiera podido ser suyo. Era cómico, sí, que la pareja pareciera tan empeñada en que ella los visitara. Y acabó siendo trágico cuando Julieta se quedó embarazada y Jorge hacía notar, delante de su mujer, que sentía cierta distancia con respecto al asunto, y detrás de ella, que estaba muy abrumado.

Tardaron dos años en escribir el libro porque Eulalia se hartó de ellos, del mismo número, repetido una y mil veces, del varón sobrepasado por la perspectiva del matrimonio y de la mujer que acepta ese descontento como concediendo un margen aceptable de libertad, un trozo más de correa para el perro que está atado y bien atado.

Pero el libro se acabó, sin retoques, sin tan siquiera ordenar los recuerdos que a menudo se desviaban de la lógica línea temporal para volver insistentemente, una y otra vez, al mismo sitio, a aquella mañana malagueña de 1937. Y tal y como quiso Gaspar los ejemplares se entregaron sólo a ciertas personas, a Fausto y a Úrsula, a Julián, su amigo del alma, a otros dos viejos compañeros del Partido Socialista con los que hacía tertulia en los últimos años en un inhóspito bar de Conde de Casal. Y por supuesto, uno para Adriana, a la que le dejaron el ejemplar en el local del partido. «Lo prefiero así», les había dicho ella por teléfono. Dos semanas más tarde le llegó una carta suya a Eulalia: *Sólo quería darte las gracias a ti y a este chico que ha escrito el libro contigo. Se lo deberías dar a alguna editorial para que os lo publicara. Ha sido muy emocionante para mí y muy difícil también. Todo lo que parece lejos y superado de pronto ha vuelto como si estuviera sucediendo ahora mismo. Pero siempre es bueno recordar. La pena es que no pueda enseñarle este libro a mi hijo. O a lo mejor con el tiempo sí. Veremos a ver. Un abrazo de quien quiso tantísimo a tu padre y que se siente ahora amiga tuya también.*

Eulalia no se lo mandó a ninguna editorial. Nunca consideró que tuviera valor literario, sí testimonial, pero incluso desde un punto de vista puramente memorialístico no sabía a quién podría interesarle. Todo estaba demasiado desordenado, sin que ellos se hubieran molestado en acomodar la narración oral a la expresión escrita. Habían hecho algún intento al principio de otorgar al texto algún tipo de estilo, pero a juicio de Jorge la redacción de Eulalia resultaba demasiado literaria, y a juicio de ella el trabajo de él tenía un toque muy áspero, muy periodístico, y restaba emoción a la historia que, por muy caótica que hubiera resultado, sí que había algún momento en que conseguía conmover. La única persona ajena a la voluntad de Gaspar que leyó el libro fue Samuel. Eulalia lo conoció una mañana en los pasillos de Radio Nacional, donde ahora trabajaba haciendo un programa de entrevistas. Se cruzó con él y al principio no lo conoció o no le cuadró la imagen que recordaba de él por las solapas de los libros. Al contrario de lo que sucede con muchos escritores que mantienen una foto juvenil en la que se encuentran favorecidos durante demasiados años, y que inevitablemente en vez de aliviar, denuncia sin piedad el paso del tiempo cuando uno los ve en persona, a Samuel le ocurría lo contrario, su imagen paralizada por el disparo de un fotógrafo sólo captaba una dureza en sus rasgos que le aumentaba la edad. Pero ahora, mientras seguía al relaciones públicas de Radio Nacional, sus pasos largos de hombre grande, el baile a un lado y a otro al que sometía a su cuerpo mientras andaba, le borraban los años que probablemente tenía, ¿sesenta y tantos?, proporcionándole ese don de individuo maduro en el que algunos hombres se instalan durante años. Incluso la ropa, que tenía un aire clásico, la gabardina, el traje oscuro debajo, la camisa blanca y la corbata en tonos apagados, en vez de encorsetarle le daba el aire indolente del hombre que quiere vestir de una forma convencional pero que no sabe hacerse bien el nudo de la corbata y siempre se la deja demasiado holgada, la camisa desabrochada en su primer botón y la gabardina desequilibrada, cayendo más de un lado que de otro. Y el pelo. Eulalia se fijó sobre todo en el pelo gris y abundante aunque con dos generosas entradas en la frente que le daban más rotundidad a un rostro de por sí de rasgos excesivos. Nunca había considerado la posibilidad de invitarle a su programa, por el que habían pasado casi todos los escritores que se habían hecho un nombre en los últimos años y que se habían creado una nueva clientela de lectores ávidos de una literatura que retratara la casi recién estrenada normalidad democrática. No se puede decir que en ese contexto a Samuel le fueran demasiado bien las cosas. No le iban mal tampoco. Algunos de sus libros estaban considerados ya como clásicos en los institutos, eran lectura obligatoria para los alumnos de bachillerato. Pero se había producido un cierto estancamiento en su trayectoria, no porque su figura recordara en algo la de un escritor franquista, porque todo el mundo le tenía considerado como un hombre de izquierdas, aunque hay quien le reprochaba que su cercanía a partidos como el comunista se había producido cuando ya a nadie se le iba la vida en ello. El público en general le tenía respeto. Lo que Samuel echaba en falta, sobre todo, era la renovación de ese público. Se sentía íntimamente incómodo en los momentos en que tenía la oportunidad de comparar a sus lectores con los de otros escritores. En la Feria del Libro, la heterogeneidad de los seguidores de algún autor joven que apenas tenía uno o dos libros pero una inesperada popularidad contrastaba con esos lectores mayores de cincuenta, aficionados a una literatura de corte realista, profesoras de instituto que se acercaban para decirle, gracias, eso es lo que yo quiero, que me cuenten una historia, para qué entrar en moderneces ni complicaciones. Y Samuel se veía envidiando en secreto a aquel otro al que se otorgaba algo más que solidez realista, como se hacía con él, con su literatura. Acababa detestando paradójicamente casi con la misma intensidad a los que le ninguneaban y a su propia literatura, aunque la hubiera defendido a muerte ante alguno de los jóvenes autores que en aquellos días le robaban la atención del público y de esos medios de comunicación que hacía un tiempo habían dejado de considerarle un personaje apetecible para entrevistar, a no ser, claro, que hubiera que cubrir el hueco de alguien que hubiera fallado en el último momento. Samuel era perfectamente consciente de eso pero en vez de mostrar la amargura que le causaba se repetía a sí mismo una y otra vez que pocos escritores en España podían disfrutar de una situación económica como la suya, estable y acomodada, y por otro lado se había creado cierto halo de escritor retirado, poco amigo de los acontecimientos sociales, que le daba resultado. Cuando le invitaban a algún acto o mesa redonda acudía encantado y cuando no le requerían, que era lo más normal en los últimos tiempos, su falta de presencia pública quedaba justificada por ese carácter misántropo que se le suponía.

Eulalia le siguió por el pasillo intentando provocar un encuentro casual. El técnico guió al escritor hasta los estudios de dramáticos donde se estaba grabando una de sus novelas, *El tonto de la casa*, un monólogo en primera persona de un retrasado mental que contaba, con una inocencia que al lector a veces le resultaba dolorosa, la forma en que sus hermanos le habían quitado su parte de la herencia dejándole de chico de los recados del negocio familiar. Tenía pasajes de un humor negro feroz, y a veces uno se descubría a sí mismo riéndose vergonzosamente de cómo el protagonista no es consciente en ningún momento de la crueldad con la que estaba siendo tratado. No es consciente hasta que un recuerdo casual le hace de pronto ver las cosas claras, pero el miedo que le provoca ser ingresado en un hospital psiquiátrico, la amenaza velada y constante a la que le han sometido sus hermanos, le lleva a conformarse con su penosa situación.

Todos estaban en silencio en el control de sonido. A veces se reían porque el monólogo tenía situaciones muy cómicas. Lo interpretaba el actor Emilio Gutiérrez Caba. La audición le trajo a Eulalia muchos recuerdos. Ese libro lo había leído en el instituto, y estaba segura de que incluso había hecho algún trabajo sobre él. Y había ido con Jorge hacía unos años al Teatro María Guerrero a ver la adaptación teatral, que también estaba interpretada por Gutiérrez Caba. Le hizo luego una entrevista al actor y entablaron una cierta amistad o, mejor dicho, iniciaron un coqueteo que nunca había llegado a cuajar. Samuel estaba sentado, le habían traído una silla, y seguía, con un entusiasmo nada disimulado, la interpretación del actor. A veces, cuando los técnicos y el realizador se reían, movía la cabeza afirmativamente como dando a entender que el texto estaba siendo leído magistralmente. El actor terminó un capítulo y paró la lectura. Desde allí, saludó por el micrófono a Samuel: «Me alegro de verte. Qué bien lo paso con esta novela, nunca me canso de leerla», luego saludó a quien estaba detrás del escritor, «Eulalia, por fin te veo, llevo días aquí y he pensado buscarte pero por los pasillos de esta casa me da miedo perderme».

Samuel se volvió para mirarla. Eulalia le tendió la mano, él se levantó, se saludaron y salieron a tomarse un café de máquina. Y mientras la extraordinaria voz de Gutiérrez Caba les acompañaba de fondo ellos se sentaron en el sofá que había junto a la puerta de los estudios y empezaron a charlar. Eulalia se vio a sí misma halagando a aquel hombre por el que hasta el momento no había tenido el necesario interés como para dedicarle un espacio en ese programa cultural en el que aparecían tantas glorias fugaces: Escritores que en el primer libro eran pontífices y en el segundo estaban acabados, músicos que duraban lo que dura la promoción de un disco fácilmente olvidable, artistas de la instalación a los que era casi imposible sacarles algo más en una entrevista que su pura arrogancia, diseñadores de cualquier artilugio inútil. Todos pasaban por un programa que quería ser el espejo de la movida cultural del momento. Todos menos Samuel. La productora del espacio se lo había ofrecido a Eulalia varias veces pero ella se había mostrado reticente, le parecía un poco sombrío, demasiado grave, ¿pasado de moda? Tal vez detrás de todo eso estaba el que siempre era más fácil en el fondo torear a un imbécil pretencioso que a una persona a la que suponía verdaderamente cultivada.

Pero aquel hombre que hablaba con ella en el sofá de un pasillo mal iluminado no era en absoluto tedioso ni pesado, al contrario, tal vez sintiéndose muy halagado por la afición que ella le había confesado que tenía a sus libros desde siempre (no había dicho desde niña para no herirle, ni por supuesto que había dejado de leerlos al final de la adolescencia) y por la invitación que le había hecho para que fuera la semana siguiente a su programa, Samuel no dejó de sonreír en ningún momento. De sonreír y de comentar irónicamente lo que opinaba sobre la cultura que dominaba en esos días, la modernidad repentina que habían descubierto tantos socialistas, esa cultura oficial que subvencionaba lo más superficial y despreciaba lo sólido. Todo es gaseosa, decía. Pero no perdía en ningún momento la sonrisa, no quería que ella pensara que había un fondo de amargura en sus palabras, como había. Y ella le daba la razón con la vehemencia del que quiere ocultar justo lo contrario de lo que dice, su afición por la banalidad.

Samuel le propuso volver a Madrid juntos, en el coche que había puesto a su disposición la radio. Se sentaron los dos en el asiento trasero, y mientras cruzaban la Casa de Campo el sol se ocultó dejando esa luz precisa y favorecedora de la última hora de la tarde, esa luz nada violenta que dibuja las cosas con la compasión necesaria como para aliviar cualquier defecto posible. Ésa es la luz con la que se estaban viendo, sentados cada vez más juntos el uno del otro hasta que Samuel, con los ojos de pronto muy distintos, más serios, más profundos, le acarició la cabeza, muy levemente, como si le diera miedo tocarla, luego le colocó suavemente el mechón de pelo que le caía sobre la cara, y ella besó el dorso de esa mano grande y delicada que en un gesto mucho más firme la atraía hacia él tomándole la cara por la barbilla y la besaba.

Fue, por tanto, un noviazgo que estuvo en boca de todo el mundo antes de que fuera noviazgo, porque el chófer de Radio Nacional se encargó de contar a los compañeros con todo detalle lo que había visto por el espejo retrovisor. El apartamento que Samuel visitó aquella tarde por primera vez, un apartamento al que Leonor, que nunca había sido amante de los eufemismos, llamaba la cochambre, se convirtió en su refugio durante casi un año. Leonor había reaccionado ante la marcha de Eulalia como sólo reacciona una madre que ha desatendido a su hija en los años de crecimiento, exigiendo la atención que ella jamás había prestado, y Eulalia se comportó como suelen hacerlo los hijos desatendidos, intentando agradar a una madre siempre descontenta. Así que se fue, pero se fue cerca, y a menudo se pasaba a cenar con Leonor, aunque Leonor poco a poco fue retomando sus antiguas costumbres y saliendo a jugar por la noche a casa de sus siempre medio secretas amistades. Leonor no conocía el límite en que la espontaneidad acaba convirtiéndose en falta de consideración y de vez en cuando se presentaba en casa de su hija, a veces con pretexto y otras sin él, simplemente para repetirle aquello de la cochambre y lo de, parece mentira, con el lujo que es vivir en un chalé en Madrid venirse a vivir a un piso canijo que no da más que a patios interiores. Eulalia le decía, ¿pero por qué no me llamas por teléfono antes de venir, tanto te cuesta?; te molesto, ¿verdad, hija mía? Si te molesto, dímelo, y me voy; no, no me molestas, pero a lo mejor estoy trabajando o yo qué sé; yo qué sé, yo qué sé, a ver si tienes un secreto y no me lo cuentas.

Una tarde Leonor se encontró con el secreto. Sonó el timbre y Eulalia abrió la puerta sin pensar en que podía ser su madre. Leonor entró y miró al hombre en bata que estaba sentado frente a un pequeño ordenador.

—¿Y este señor, es el que me suena que es? —le preguntó a su hija como si él no pudiera oírla.

A Leonor le importó bien poco que él estuviera casado. «Ya caerá —le decía a Úrsula—, pudiendo tener a una mujer más joven, de tontos sería que se quedara con la de toda la vida». Se puede asegurar que la actitud de Leonor contribuyó bastante a que Samuel acabara teniendo una doble vida casi tan convencional como la legítima porque con ese arte de ella para envolver a la gente y llevarla a su terreno, el escritor se vio comiendo en la casa familiar más de una vez a la semana. Comidas en las que se dedicaba a observar a la madre de su amante con una atención que a Eulalia íntimamente le sacaba de quicio. Había cosas que, por supuesto, marcaban diferencias esenciales con el matrimonio anterior de Samuel; desde luego, uno de los elementos esenciales en la relación con Eulalia era el sexual. Eulalia lo recibió en ese aspecto con voracidad, aunque no era del todo una voracidad sincera; si Samuel hubiera prestado más atención, si hubiera echado mano de su propia experiencia habría pensado que el apetito sexual de su amante era demasiado expresivo, demasiado exagerado. Pero está claro que la experiencia casi nunca sirve, y él, que llevaba años resignado a un matrimonio no infeliz pero sí mortecino y que sólo había conseguido despertar del letargo gracias a algún encuentro rápido y nunca comprometedor con admiradoras generosas, se quiso creer que aquella mujer se trastornaba cada vez que él la besaba, y al encontrarse con ese poder intacto que ya creía olvidado de los años de su juventud fue él quien perdió la cabeza, y si es cierto que el amor y el sexo rejuvenecen, rejuveneció unos cuantos años.

A Eulalia su amante le gustaba mucho, pero no era el arrebato físico lo que podía en esa atracción. Lo que le atrajo desde el primer momento, desde que lo vio andar a paso rápido por aquellos pasillos de Radio Nacional, fueron unas virtudes que intuyó desaprovechadas, lo vio con la misma claridad que aquel que tiene sentido del espacio y es capaz de imaginar cómo una casa vieja y anacrónica puede ser transformada y convertirse en un lugar moderno y luminoso. Si había algo en lo que Eulalia iba pareciéndose a su madre, aunque no cayera en la cuenta, era en su capacidad para utilizar el sexo de una manera práctica. No había una entrega absolutamente romántica en los encuentros con Samuel sino la feliz convicción de que eso era el comienzo de algo más interesante.

A los seis meses el escritor estaba en casa de Eulalia como en la suya propia. Iba por las tardes, abría con su propia llave y la esperaba allí a que llegara de la radio. Se ponía una bata que ella le había comprado y se sentaba delante del ordenador con la esperanza de darle rienda suelta a tantas emociones como ahora sentía pero la certeza de un polvo inminente le volvía imposible cualquier esfuerzo intelectual. Entonces se encendía un cigarrillo y se asomaba a la única ventana que daba a la calle, desde la que veía un trozo diminuto de acera por la que ella, forzosamente, debía pasar. La espera se hacía a veces tan dolorosa que el perfil de Samuel debajo de la bata mostraba, cuando al fin abría la puerta, un abultamiento ridículo, adolescente.

Él tenía la misma sensación de embriaguez del borracho que se imagina visitado por súbitas inspiraciones, pero todo eso no llegaba a concretarse en nada que le empujara poderosamente a escribir una historia. Un día, en una de esas esperas en las que se dedicaba también a registrar los cajones de Eulalia con el deseo enfermizo de encontrar alguna pista que le hiciera sentir celos retroactivos, dio con el libro de Gaspar. Leyó las firmas de los dos autores, Eulalia Almagro y Jorge Arenas, y luego lo abrió por el centro, donde estaban las fotos. Había fotos antiguas, las del padrastro y un hermano gemelo, de niños, unas cuantas de Madrid en los años treinta, la foto de dos muchachas levantando el puño, los hermanastros de Eulalia muy niños y su madre, y finalmente Leonor y Gaspar en un banquete, ella muy joven todavía, vestida al estilo de los años sesenta, con unos pendientes grandes, un moño alto, cardado, y un vestido de margaritas. Y él, pasándole el brazo por el hombro, la única señal evidente de que eran pareja porque nada en el aspecto de aquel hombre mayor y un poco rancio parecía tener alguna correspondencia con una mujer tan vistosa.

Eulalia abrió la puerta y le encontró viendo la última de las fotos, una en la que aparecía ella con ocho años vestida de uniforme y con la cartera en la mano posando con Gaspar en la puerta de la casa, junto a la verja. En la imagen, él sonreía y ella tenía esa gravedad que adoptan los niños cuando están enfadados. La mueca de enfado podía estar relacionada con la persona que hacía la foto o el simple hecho de haber sido arrebatada del sueño para ir a la escuela.

—¿Y esto —preguntó Samuel— por qué no me lo habías enseñado?

No se lo había enseñado porque pensaba que él podría reírse de aquella idea suya de las biografías que con el tiempo a ella misma le había parecido bastante extravagante; también tenía miedo a que hiciera algún comentario irónico sobre su padrastro, que lo considerara un personaje algo patético. Pero fue al contrario. Samuel leyó el libro en dos tardes y cuando lo acabó se asomó a la misma ventana en la que esperaba siempre la llegada de Eulalia, pero esta vez no era la urgencia de llevarla a la cama lo que provocaba su impaciencia sino la decisión de pedirle permiso para escribir una novela con esa historia. No es que intuyera que podía servirle de inspiración, es que de pronto sentía en la mente el libro entero, como si ya estuviera escrito, como si ya pudiera saber cuál iba a ser la última frase.

Samuel terminó de comer. Concha y él no habían intercambiado ni dos palabras pero eso no era algo que tras treinta años de matrimonio pueda llamar la atención de nadie, y menos de los interesados. Samuel aprovechaba estas comidas familiares para pensar en lo que tenía entre manos, que no era una amante con la que llevaba acostándose casi un año, sino una novela que avanzaba como si alguien le estuviera dictando lo que tenía que escribir. Sentía un impulso casi olvidado, el mismo que le llevó a escribir sus primeras obras en apenas cuatro o cinco meses, aunque siempre había aumentado el tiempo de escritura cuando se le preguntaba, por conocer de sobra el prestigio de la lentitud. Masticó toda la comida mirando al plato, como si el plato fuera la pantalla en blanco que le esperaba en aquel apartamento del barrio de Pacífico en el que un milagro inesperado le había devuelto la pasión, no la pasión literaria, era algo más importante, algo que producía el tipo de excitación que te lleva a lavarte los dientes después de comer, ponerte el abrigo, salir del portal del piso de la calle Ferraz en el que llevas, cuántos años, toda la vida entregado a la monogamia y a una profesión —¿o habría que decir vocación?—

que te ha permitido ciertas vías de escape que tal vez un funcionario de ministerio o un obrero no tendrían a su alcance, pero al fin y al cabo, monogamia, hasta que un día, de pronto parece que te sientes más ligero, empiezas a soltar lastre, y no te importa la mirada fiscalizante que tu hijo mayor, Gabi, te dedica cuando entras en casa, a las once o las doce de la noche, no importa que Conchita, embutida en esa gran bata con la que tal vez quiere mostrarte lo tarde que es o algo más penoso aún, una enfermedad, la dolencia provocada por lo mal que se lo estás haciendo pasar, y busca que su marido, tú, cada vez más ausente, reconozca lo que ella está pidiendo, que repares en su sufrimiento, y sientas compasión. Pero él no va a preguntar nada, ni tan siquiera es que haya decidido no ver lo que tiene delante de los ojos, es que no ve. No ve a la mujer embatada que se sienta a un lado del sofá, componiendo, sin ella saberlo, la imagen misma de la soledad, la que han creado pintores y directores de cine: el personaje en una esquina y el resto, la sala, el mar, el bosque, o el más absoluto vacío.

No hay nada más lamentable para él que esos mensajes cifrados del código conyugal, así que actúa como si no los comprendiera, mientras mastica la comida maravillosamente guisada por Conchita, la calidad insuperable de la menestra, que se deshace melosa en la boca, el filete de emperador, la ensalada, todo cuidadosamente servido, sin que la enfermedad, la depresión a la que está empujándola, empeore el curso de la casa. Samuel se permite hacer incluso algún comentario elogioso, y ella dibuja una sonrisa corta, muy corta, para que él entienda y pregunte. Pero ya no mira y cuando mira no ve. Está loco por ponerse el abrigo, cruzar la plaza de España y subir a paso ligero la Gran Vía, es como si se hubieran acortado las distancias y Madrid fuera pequeño, y no encontrara el momento de tomar un taxi porque es maravilloso dejarse llevar por las piernas que parecen de otro, de un individuo con treinta años menos. Le dan ganas hasta de reírse cuando descubre a su hijo unos pasos detrás de él mirando el mismo escaparate de la Casa del Libro en el que él se acaba de detener hace unos minutos, más que para curiosear lo que hay, para fantasear con el espacio que ocupará él mismo dentro de unos meses.

Dónde irá, se pregunta, dónde irá este hijo mío. Le observa un momento, no imagina cuál será el libro que le ha llamado la atención. Muy pocas veces habla con él de literatura, porque el chico con su padre se siente intimidado, dice siempre la madre, pero está claro que vive una secreta pasión literaria al margen de la figura de su padre. Ahí está la luz de su dormitorio encendida hasta las tantas de la madrugada y algunos cuentos inacabados en el ordenador que Samuel habría podido leer pero no ha querido por temor a sentirse decepcionado y tener que decírselo. A Conchita siempre le ha gustado calentarle la cabeza con la falta de confianza que su hijo tenía en él. Ella parecía asumir el papel de acortar distancias pero con el tiempo Samuel había entendido que en realidad no ha hecho otra cosa en la vida que trabajar como una hormiga, en silencio y sin dejar pruebas, para que padre e hijo fueran cada vez más ajenos. «Dime, ¿qué he hecho yo para que, según tú, Gabi no me tenga confianza? —preguntaba Samuel—, dime en dónde ha estado mi error, ¿en ser escritor, en ser conocido, en no ser demasiado pegajoso con él? ¿Es que no ha bastado con que lo fueras tú? Yo soy como soy y así he sido con mi hija también, que no ha necesitado estar en mis rodillas mientras yo trabajaba. ¿Desde cuándo un padre ha tenido que estar preguntando cómo te sientes, qué problema te crea para tu desarrollo personal el que tu padre sea una persona intelectualmente reconocida? Por Dios, por Dios, si él prefiere hablar contigo, que hable contigo, pero no puedo mostrarle una admiración falsa por algo que todavía no ha hecho en la vida, y si él me tiene una admiración, según tú dices, que le resulta inhibidora, o castrante o como coño se diga, ¿qué quieres que yo haga, que le trate como si tuviera diez años, que lea esos diez folios inacabados que tiene escritos en el cajón desde hace un año y se los celebre como se hace cuando el niño llega con el primer dibujo de la guardería? Desde hace veinte años son cientos los chavales que me han entregado sus cuentos, me los meten en el bolsillo del abrigo cuando visito un instituto, me entregan una carpeta cuando voy a una facultad, todos llevan la dirección para que después de leer aquello les conteste y ¿sabes lo que les contesto? Que lo que yo piense no importa nada, que no va a ninguna parte el juicio que les haga un escritor de sesenta años que ni él mismo sabe por dónde tirar. Si animas a alguien cometes la misma irresponsabilidad que si le desanimas. Mi padre no estuvo día a día alentándome para que escribiera, más bien para lo contrario, me perseguía para disuadirme, para que acabara mi carrera y me dejara de idioteces. Tú sabes que fui durante más de diez años escritor de fines de semana, ¿cómo voy a pensar yo que lo que necesita un hijo mío es que le jalee cualquier tímido intento de ser escritor? Si él siente verdadero deseo por esto, lo hará aunque yo me oponga, o gracias a que yo me oponga, pero no me pidas que aliente una vocación que siente cualquier muchacho a su edad que tenga un poco de sensibilidad, o tal vez lo que tendría que decirle es que a su edad las fantasías literarias ya se le deberían haber pasado. Son veinticinco años y dos carreras frustradas y a lo mejor están frustradas por una vocación que no es suficientemente fuerte. Hoy todo el mundo quiere ser artista, todo el mundo cree ser creativo, vivimos en esa fantasía, por qué no la va a vivir con más fuerza el hijo de un escritor. Parece que el mundo que nos rodea les empuja a eso. El pintor reconocido y sólido que enseña a sus colegas los dibujitos patéticos de su hijo mientras éstos miran hacia otro lado. Ah, ya he visto esa escena algunas veces y resulta penosa. El ser padre no te convierte necesariamente en un idiota, eso es lo que te quiero decir, que quiero a mi hijo, claro que lo quiero, igual que tú, pero no soy un idiota». Queda implícito en todo su discurso que Conchita sí que lo es, aunque él no sea muy consciente de expresarlo, y no está en su ánimo ofenderla. Ella se mantiene escuchando, lenta a la hora de responder, apabullada por la vehemencia de su marido, intentando encontrar una réplica que siempre halla unas horas más tarde, mientras le espera en el sofá después de cenar y hace un recuento doloroso de su vida. La primera respuesta que Samuel se hubiera merecido, piensa en esos momentos, habría sido que en ese discurso dedicado a la defensa de la paternidad no paternalista, si es que eso se puede decir, se escondía una mentira que convertía en irracional lo que habría podido ser racional: él no tenía la misma actitud con su hijo que con su hija, a la que destinaba todos esos elogios insensatos a los que, según su discurso, era tan contrario. Pero discutir con Conchita es fácil. Ella escucha, escucha el monólogo, y cuando él se va, absolutamente convencido, dada la falta de réplica, de haber demostrado la verdad, ella, no por falta de inteligencia, sino por lentitud, por tener un pensamiento paquidérmico, repasa las palabras de su marido, y encuentra la manera de rebatirlas cuando ya es demasiado tarde, a esas horas en que lo único que verdaderamente importa es la evidencia de que tu marido va a abandonarte.

En otro momento de su vida, piensa Samuel, hubiera ido al encuentro de su hijo. Qué haces, Gabi, para dónde vas. Y el chico se habría mostrado sorprendido, pillado en falta, como era habitual en la actitud que siempre tenía con su padre. Pero a Samuel le daba la impresión de que no sólo él estaba intentando evitar el saludo: su hijo dedicaba a la contemplación del escaparate la atención tozuda del que no quiere levantar los ojos para no encontrarse con alguien conocido. Es normal que a cierta edad un padre y un hijo hagan lo posible por no cruzarse en la calle, a una edad más temprana que la de Gabriel, posiblemente, pero qué se le iba a hacer, la adolescencia se estaba alargando eternamente, la adolescencia y sus reproches, qué castigo.

Samuel iba a echar a andar pero una mujer de unos cincuenta años salió corriendo de la tienda.

—¿Es usted quien yo pienso? —le preguntó jadeante.

—Bueno, me imagino que sí.

—Es que he comprado este libro en cuanto lo he visto, ¿me lo puede firmar?

—Claro, sí... ¿tiene algo con qué hacerlo...?

—Ay, Dios mío —la mujer se rebuscaba en el enorme bolso inútilmente, se la veía decidida a volcar su contenido en el suelo. De pronto, advirtiendo que hacía un momento había alguien a sus espaldas, se volvió—. ¿Tienes un boli? A ti, joven, a ti te digo, ¿tienes un boli?

Gabriel se palpó el pecho.

—Sí, aquí tengo uno —mientras se lo sacaba, miró a su padre, un poco cohibido, parecía que tenía las mejillas algo encendidas—. Hola, ¿qué pasa?

—Ya ves.

—Para Martina Rubio. Y para su marido, ponga también.

—¿Cómo se llama su marido?

—Eso da igual, con que usted ponga para su marido ya se entiende que es el mío. Así, muchas gracias. Esto sí que es suerte.

Samuel hace un ligero gesto de despedida y mira a su hijo.

—¿Quieres tomar algo?

—Pues sí..., desde luego que sí —dijo Martina Rubio.

—No..., ay, perdone —Samuel puso la mano en el hombro de la mujer para salvarla un poco de la confusión—, no me refería a usted, se lo decía a él.

—Pero ¿se conocen ustedes?

—Es mi hijo.

—Anda. Mucho gusto. Esto sí que es bueno. Es para contarlo. Y yo ya estaba dispuesta, qué vergüenza. Habrá dicho usted...

—No se preocupe.

—¿Vas a ser escritor como tu padre? —preguntó Martina Rubio antes de colgarse otra vez el bolsazo.

—¿Yo? No creo.

Samuel y su hijo anduvieron juntos hasta la confluencia de la Gran Vía con la calle Alcalá. Los dos parecían andar buscando alguna cosa que decirse que fuera el principio no frustrado de una conversación.

—¿Buscabas algún libro en particular?

—No. Bueno, sí, quería comprarme aquella novela de la que hablabas hace poco en ese artículo..., *Los fantasmas del sombrerero.*

—Ésa está en casa.

—Sí, pero hay varias novelas de Simenon juntas y no me gustan esos tomos tan... gruesos.

—¿Has leído ya algo de Simenon?

—Sí, seis o siete, de los tomos que tú tienes. Pero para ir en el metro prefiero los libros de bolsillo.

Samuel reconoció el ligero temblor de siempre en su voz, como un tartamudeo que no llegara a serlo. El miedo enfermizo a decir algo inadecuado delante de su padre. ¿Hablaría así con su madre? No parecía probable. Estaría relajado, utilizaría un vocabulario mucho más adecuado no ya para su edad sino para su forma de vestir, para esa manera desganada y poco madura que tenía de andar, nada parecida a la del padre, que avanzaba con una rotundidad y una premura que hacían pensar que se dirigía siempre a un lugar en el que ya había una audiencia deseando que llegara y dispuesta a escucharle.

—¿Cómo te va el curso?

—Bastante bien.

—¿Estás haciendo... primero?

—No, segundo, hago segundo ya.

Después de cada contestación una pausa. Pausa en la que el padre pensaba en una siguiente pregunta que diera más de sí.

—¿Y te gusta?

—Sí, creo que... Bueno, no me apasiona, pero desde luego no lo detesto como me ocurrió con Bellas Artes. Ahora ni sé por qué empecé Bellas Artes.

—¿Te ves siendo abogado?

—Sí, ¿por qué no?

—Por qué no, claro —dijo Samuel. Había creído apreciar en ese por qué no de su hijo una leve resignación—. ¿Y ya no quieres ser escritor?

—No, no te preocupes.

—Yo no me preocupo, ¿por qué dices eso?

—Bueno, sí que creo que te preocupabas.

—Te equivocas, qué tontería es ésa.

—Pero que sepas que lo entiendo.

—No sé qué entiendes o qué no dejas de entender, se me escapa —Samuel empezó a notarse un tono impaciente, la impaciencia que le provocaba la vulnerabilidad de su hijo—. Háblame más claro.

—No te pongas así, como si estuvieras cabreado, no quiero discutir.

—No me pongo de ninguna manera, es mi forma de hablar.

—Sólo te digo que entiendo que tú no quisieras que me dedicara a la literatura. Es más, te diré una cosa, ahora me siento como si me hubiera quitado un peso de encima. Un peso que tenía también cuando estudiaba Bellas Artes...

Samuel sintió como que una ternura casi olvidada se le instalaba en el pecho. Reprimió un impulso antiguo, casi olvidado, el de retirarle el mechón de pelo que le caía sobre el ojo derecho, algo que hubiera hecho sin pensar en los años en los que era tan natural el contacto físico. Ahora Gabriel se habría arrugado ante su caricia, o era él el que ya no sabía cómo hacerlo. Había algo que su hijo quería decirle, una última cosa, o tal vez la única cosa. El semáforo se puso en verde.

—¿Quieres que tomemos un café? —le preguntó Samuel.

—No...

—¿Quieres seguir caminando conmigo?

—Quiero saber adónde vas —la frase sonó más rotunda de lo que Gabriel mismo se había propuesto. Eran malas pasadas que solía jugarle su propia inseguridad.

—¿Quieres saber dónde voy? —Samuel miró un momento hacia el semáforo que volvía a estar rojo y sacó un cigarrillo para encendérselo. Los dos comprendían que estaba sopesando si decirle o no la verdad—. Voy a un apartamento donde escribo todas las tardes. Estoy escribiendo un libro.

—¿Una novela?

—Sí, una novela, la estoy acabando.

—Papá —le tomó suavemente del brazo, como si reclamara una atención que no estaba muy seguro de conseguir, con un gesto inesperadamente adulto que hizo que su padre se sintiera viejo—, me gustaría que no te fueras, ¿qué haría ella ahora sola, lo has pensado?

—No sé de lo que me hablas —dijo Samuel, inseguro ahora él, por primera vez, ante la mirada de su hijo.

—Sí que lo sabes. No quiero que la dejes, no quiero, pero tampoco puedes continuar así mucho tiempo, ¿sabes lo que quiero decir?

Samuel asintió con la cabeza. Gabriel se despidió con poco más que un gesto, no supo decir nada ni quiso porque no podía soportar la visión insólita de su padre, plantado en la calle, avergonzado.

Las piernas volvieron a sentir la incómoda gravedad, el peso de los años y del pasado. Caminó más lento que otras tardes hasta el apartamento en el que le esperaban dos horas de un trabajo que ya estaba llegando a la gozosa recta final. Esa tarde pensó que así podría haber seguido toda la vida, demorando el momento de las grandes decisiones, acomodado al arrullo de esta vida secreta que le ordenaba la existencia, como si fuera un funcionario feliz del adulterio que abomina de los procesos de separación, de los repartos, de las explicaciones a los hijos, de los reproches legítimos de la mujer abandonada. Si todos se lo hubieran permitido, Eulalia, su mujer, sus hijos, habría seguido haciendo los dos caminos todas las tardes, el que conducía al engaño y el que le devolvía a la vida legítima. Se hubiera instalado siempre en esa doble dirección que le hacía cruzar el Retiro todas las tardes dos veces y le había permitido sentir mientras caminaba el paso de tres estaciones. El tiempo estaba cambiando y le sobraba el abrigo. Se lo fue a quitar y unas adolescentes que se cruzaron con él interpretaron el gesto de forma equivocada. Se marcharon riendo y entre las risas hubo insultos, palabras sucias. Un viejo escritor enseñando la polla a las niñas del instituto Isabel la Católica. No, no había llegado a tanto, ni se sentía viejo, ni tan siquiera se sentía escritor.

Se sentó en un banco y dejó que el tiempo pasara, sin que le quemara la impaciencia, con la misma resignación con la que uno dormita en un vuelo transoceánico o en la sala de espera de un médico, sabiendo que durante unas horas la realidad queda en suspenso. A un lado y a otro del parque, unos y otros, le iban a pedir ya que se decidiera. Nadie se lo iba a poner fácil, nadie le iba a decir, ahí tienes la puerta. De una manera innoble se quedó dormido, con la cabeza torcida y la boca abierta.

Hay amistades que llevan escrito su final casi desde el principio, porque incluso en el impulso absorbente de los primeros encuentros uno advierte que el equilibrio es muy débil y que cuanto más firme parezca esa unión más cerca se estará del desengaño. Eulalia siempre había intuido que más tarde o más temprano acabaría desilusionando a Jorge Arenas porque en la manera de ser de su amigo las desilusiones estaban implícitas. Las necesita, como necesita sentirse constantemente nostálgico del pasado, añorando relaciones que consideraba más auténticas aunque paradójicamente no las hubiera sabido conservar; añorando el momento en que todos los sueños estaban intactos y el futuro del país entero se construía en la barra de aquel local del Partido Comunista, no en la universidad, donde nunca se había adaptado a la militancia, sino en el barrio, en el mismo distrito en el que estaban afiliados sus padres y el mismo local en el que su madre hacía las tortillas cuando se celebraba alguna fiesta, y su padre se iba a tomar el vermú antes de comer. Nostalgia hacia todos aquellos viejos militantes tan cercanos a él, a su infancia, a su adolescencia, más familiares que camaradas, que por turnos iban apareciendo en verano en la casa de Hoyo de Manzanares para hacer una barbacoa. Al contrario que a tanta gente la lucha política no le había llevado a matar al padre, ni a desdeñar el calor de la madre, sino al contrario. Nada en su vida había sido traumático, ni tan siquiera las dos veces que le habían detenido. Él nunca tuvo que esconderse cuando entraba en casa con la mochila llena de propaganda porque los armarios de sus padres estaban llenos de propaganda desde siempre, y cuando su padre lo fue a recoger a la salida de la comisaría de las Cortes y le vio aquella brecha en la ceja, tan cerca del ojo, fue el hijo quien tuvo que frenarlo para que no entrara dentro y se metiera en un lío más irremediable. Nunca la familia fue un yugo, no tuvo que rebelarse, la rebelión era de puertas para afuera y con la complicidad paterna. Nunca tuvo que mentir, ni poner excusas, no tuvo miedo a llegar tarde, ni necesidad de irse de casa porque fueron sus padres los que se marcharon. Ese pasado perfecto podría haber creado un carácter sincero, confiado, incluso optimista; el carácter de alguien que ha sido muy querido y que no ha tenido que pelearse por hacer valer su opinión, pero el resultado no podía ser más inesperado. Jorge es un mentiroso, no el mentiroso de la gran mentira, el que oculta la verdad jugándose la vida, el que arriesga, qué va, él es uno de esos aficionados al embuste innecesario, la clase de tipo que te dice que ha venido en metro y en realidad ha tomado un taxi, y no por nada, sino porque cree que va a quedar mejor de esa manera, que es lo que se espera de él, o que te cuenta, como le contó a Eulalia tantas veces, que ha estado escribiendo toda la tarde y en realidad se ha ido al cine. Ella, después de haberle pillado en varios renuncios, se preguntaba por qué, por qué, qué necesidad había, qué tipo de ventaja obtenía con esas mentiras que se iban a descubrir más tarde o más temprano. Pero no había respuesta porque se trataba de algo congénito, como el que nace cojo o ciego. Y era mejor observar las mentiras sin pedir cuentas que verse en la penosa situación de decirle, otra vez te he pillado; mejor alejarse que ser testigo de su vergüenza.

También podía esperarse que hubiera sido alguien decidido, el tipo de persona que estaba educada para tomar sus propias decisiones, que tuvo en sus manos la libertad desde el principio, pero tal vez el que se suprimieran los pasos que llevan a su conquista ha hecho de él un hombre que se deja llevar por las circunstancias, que no es constante en sus deseos, y acaba perdiendo las cosas por no saber lo que quiere.

Ahora se encuentra perdido en un mundo donde todo se ha vuelto más abstracto, las ideas de hace años se han ido escapando de las manos como arena de la playa, igual que parecen haberse esfumado todos aquellos amigos con los que podía pasar una tarde discutiendo y fumando porros. Ya nadie quiere discutir de política más de diez minutos seguidos, y menos entre sus compañeros de la tele, donde ha vuelto esa vieja costumbre de no significarse demasiado. El mundo pasa ante sus ojos todos los días a través de ese monitor en el que edita las informaciones que van a ir firmadas con su nombre y ya no tiene, como antes, capacidad de encontrar una respuesta absoluta para cada hecho, porque antes, los hechos venían envueltos en su explicación, y su explicación siempre adoptaba un nombre concreto: revolución, dictadura, revisionismo, reacción, progresía, lucha, presión, huelga, transición, democracia burguesa..., y ahora todo es más impreciso, los colores más mezclados, y él, a sus cincuenta años, se siente más viejo que sus padres, que a falta de partido y de camaradas, se quedaron con las barbacoas y los amigos y no están en absoluto descontentos.

Tiene una hija de doce años, tiene la misma mujer desde los veinticinco, una mujer atractiva e inteligente, a la que, sin embargo, le puso los cuernos durante mucho tiempo con una amiga, Eulalia.

Pero hay amigos con los que uno no sabe cortar en el momento adecuado, antes de que todo se pudra, como si al pasado se le debiera algo más que el propio recuerdo. Los dos han sido testigos lejanos, en estos últimos diez años en los que se han tratado muy poco, de las andaduras del otro. Eulalia sabe, claro, que él sigue en televisión, como redactor fijo de los telediarios, aburrido siempre de su trabajo y probablemente de sí mismo, de haber desistido de tantas vocaciones, entre ellas la literaria, que parecía tener cuando empezó en la radio. Y Jorge sabe de ella, cómo no iba a saber, que se ha casado hacía cinco años con el escritor, que publica artículos en alguna revista femenina, que acude a alguna tertulia de radio a expresar opiniones de un radicalismo lleno de lugares comunes, y que se dedica, en realidad, casi en exclusiva, al cuidado y a los compromisos de su marido. Fue invitado a la boda, pero no asistió. No se hubiera sentido bien, ni ellos tampoco. Era una presencia incómoda. Todo podía haber sido distinto, desde luego. La primera vez que Eulalia organizó un encuentro entre los tres, al principio de su relación, parecía advertirse, a pesar de que eso de conciliar pasado y presente es complicado y de que la pareja siempre tiende a tratar con desconfianza a los antiguos amantes, una simpatía prometedora. Pero al poco tiempo se publicó la novela, *El impostor*, y Jorge, que nunca habría podido imaginar de qué trataba, abrió el libro, se encontró con la dedicatoria: «A Eulalia, que me cambió la vida en todos los sentidos», que ya le produjo una sensación inconfesable de desasosiego, y empezó a leer la historia del hombre que salva la vida gracias a la muerte de su hermano gemelo.

Leyó el libro en una noche. Hubo cosas que le irritaron por lo que se parecían al testimonio real y otras que le irritaron más por lo que se alejaban del alma de la persona que las vivió. Era indignación en dos sentidos muy distintos, pasaba de pensar que aquello era la copia inaceptable de un trabajo ajeno, a calificar de traición el haber utilizado tan claramente a un personaje real para luego faltar a la verdad de su propia historia. Había tras estas consideraciones un dolor aún más profundo,

¿cómo es que ella no le había dicho nada, cómo es que ella había pasado por alto el tiempo que él le dedicó a su padrastro en el último año de su vida, el afecto que estas conversaciones provocaron en ambos, las comidas familiares en las que él fue tratado como uno más, el tiempo que luego pasaron escuchando las cintas, cómo se puede dejar un recuerdo compartido en manos de un tercero que no estuvo presente?

Esa misma mañana, con la furia aún intacta de la noche en vela, escribió una carta. Estaba dirigida a ella pero estaba seguro de que la leerían los dos:

Querida Eulalia:

Anoche leí el libro de Samuel que tan amablemente me mandó a casa con una dedicatoria muy afectuosa, pero ahora esa amabilidad y ese afecto me parecen una broma de mal gusto. No salgo de mi asombro después de haber leído la novela. Tú sabes el tiempo y el cariño que invertimos en nuestro libro: ¿cómo es que lo dejaste en sus manos sin decirme a mí nada? Sinceramente, ¿no crees que tenías el deber de haberme contado qué es lo que él estaba escribiendo? Me gustaría que me contestaras alguna vez a esta pregunta: ¿qué es lo que hicimos nosotros, Eulalia, el trabajo sucio? Porque si piensas que nuestro trabajo simplemente se trataba de una trascripción, ¿cómo es que él no nos ha nombrado aunque sólo fuera como meros documentalistas? Creo que estaría en mi perfecto derecho de reclamar algún tipo de autoría intelectual pero no lo voy a hacer. Una vez que te has prestado tú a ese juego, tú, que eras la hija del protagonista de la historia, yo lo único que puedo hacer es aguantarme.

Todo esto sin entrar a considerar la manera en la que tu marido ha decidido manipular la trayectoria de una vida que para ti debería haber sido sagrada. ¿Te parece bien que en la novela se falsee la realidad hasta tal punto que Gaspar acabe siendo un personaje perverso que se aprovecha de la muerte de su hermano para saltar de una personalidad a otra según le convenga? ¿Es que eso a ti no te hiere?, y si a ti no te importa: ¿no pensaste ni un momento en Úrsula y en Fausto?

Siempre creí que aunque no nos viéramos demasiado, aunque hayamos tenido algunos desencuentros, nuestra amistad estaba por encima de todo. Ahora veo que no. Sé que diciéndote esto corro el peligro de que no volvamos a vernos o de que nos enfademos para siempre, pero tú también podías haberlo pensado antes. Espero que me llames, que me contestes, que quieras hablar conmigo del asunto.

No sé cómo despedirme,
Jorge

Por qué tendría que contestarle. Qué se supone que debería haber hecho, quedar con él en una cafetería, en un lugar neutro y aguantar el chaparrón, soportar esa amalgama de reproches antiguos, olvidados, y recientes que le pueden venir a la boca a un amigo despechado. No, para nada. No iba a darle la oportunidad. Jorge era de los que creían que en nombre de la amistad se podía decir cualquier cosa, aunque lo que se dijera hiriera gravemente al amigo; era de los que pensaban que después de una sesión de cruel sinceridad podía retomarse todo donde se había quedado. Pero ella no estaba dispuesta a aguantar una mierda de sermón y menos de alguien tan poco indicado para sermonear. Se acabó el tiempo de la sinceridad, pensó. Al fin y al cabo, los adalides de la sinceridad nunca han recibido ninguna crítica porque su espíritu incisivo les sirve de escudo protector contra cualquier ataque. Rompió la carta en varios trozos y la tiró a la basura. No se la enseñó a Samuel ni le comentó tampoco el contenido. Le daba vergüenza que su marido la viera víctima de un ataque tan furioso, y le provocaba angustia el que Samuel pudiera inquietarse por esa velada acusación de plagio. Ella sabía perfectamente que Jorge no se metería jamás en ningún asunto legal, era demasiado cobarde y perezoso para eso. Además, qué coño, resultaba ridículo que se presentara como el guardián de la memoria de su padrastro. Patético. Qué tenía que ver la realidad con una novela. Pero Samuel no conocía suficientemente el carácter de su amigo y no podría evitar la inquietud de una posible acusación —de alguna manera, fundada—, más que de plagio, de falta de consideración intelectual hacia el trabajo de otros.

Prefirió olvidar el asunto y olvidar al amigo. Era mucho más cómodo que no estuviera presente en su nueva vida porque Jorge no podía evitar arrogarse permanentemente como la conciencia de lo que se había sido para compararlo con aquello en lo que uno se había convertido. Mientras que en su pobre trayectoria entendía que había algo parecido a la coherencia, en la de Eulalia encontraba, y lo hacía ver de muchas maneras, una traición imperdonable hacia el pasado. El pasado. Ese momento en el que, según él, brillaban en ella cualidades que se habían desvanecido.

Alguna vez, Eulalia imaginó, eso sí, que le escribía una carta, o que lo encontraba casualmente por la calle y le despachaba con tres frases definitivas, o que —esta idea le gustaba— él estaba en una situación precaria y se veía en la obligación de pedirles dinero o una recomendación para un trabajo, y Eulalia, condescendiente, ajena al rencor, le ayudaba generosamente y le hacía ver, sin necesidad de enzarzarse en una discusión, qué injusto había sido con ella. Pero la realidad hizo posible un encuentro bien distinto e inevitable el enfrentamiento.

Eulalia había acompañado a Samuel a la televisión. Iban a grabarle una entrevista para el Día del Libro después de que su novela permaneciera en los primeros puestos de los libros más vendidos durante todo un año. Ella había preferido quedarse en la sala de invitados tomándose un café. Le habían dicho que allí podría verlo mucho más cómoda y habían instalado un pequeño monitor para que siguiera la grabación. En la pantalla Samuel se esforzaba en aparentar una lejanía, una frialdad, hacia el éxito evidente que había cosechado su libro, pero Eulalia le notaba, en la forma en la que reprimía la sonrisa frunciendo los labios, que no era fácil para él esconder la felicidad. Parecía más viejo. Era un año más viejo, pero además, en pantalla, la falta de naturalidad en sus movimientos, la manera en que su cuerpo grandón quedaba literalmente sumergido en la chaqueta —que nadie se había molestado en colocarle bien y le formaba una chepa—, le daba un aspecto mucho menos interesante y le hacía más viejo, o mostraban al viejo que sería nueve años después.

La puerta se abrió. En un primer momento, Eulalia no alzó la cabeza porque pensó que sería el camarero con el café. Pero enseguida sintió que aquella figura no se movía, al contrario, se mantenía de pie, mirándola. Supo quién era antes de verlo, estaba segura, tuvo esa intuición, o puede que el olfato trabajara antes que la vista y oliera la colonia, la misma colonia de siempre.

—Eulalia..., me han dicho que estabais aquí, vamos, que estabas, y quería saludarte —en los labios de Jorge se dibujaba una sonrisa, ¿era de amistad?

—Hola —ella se levantó y le dio dos besos—, ¿qué tal estás?

—Tirando.

—¿Sólo tirando?

—Sólo tirando.

—¿Quieres tomar un café? —no fue una invitación a la conversación sino una manera de cambiar de tema. No estaba dispuesta a dejarle entrar en intimidades—. Lo pedimos ahora.

—No, ya me he tomado varios, de la máquina del pasillo, imagínate cómo tengo a estas horas el estómago —los dos intentaron algo parecido a una risa, sin ganas.

—¿Te quieres sentar?

—Bueno, cinco minutos, estoy montando una información...

La voz y la imagen en la pantalla convertían a Samuel en un extraño testigo del encuentro.

—No me llamaste.

—No, no te llamé.

—Pero ¿recibiste mi carta?

—Claro.

—¿Qué dijo él?

—Él no la ha leído. No se la di, ni tan siquiera se lo conté.

—¿Es que no te parecía importante enseñársela?

—Es que él no había hecho nada que tú tengas que reprocharle.

—¿Ah, no?

—No.

—¿Y tú, no tenías nada que reprocharle tú?

—No, le di mi permiso. Y era la historia de mi padre, eso que no se te olvide.

—Eso es lo que me hace pensar que no tuviste muchos escrúpulos.

—Oye, tío —le dijo Eulalia sin subir el tono pero llena de agresividad—, dime, ¿es que no te ha pasado nada durante este último año, no ha ocurrido nada interesante en tu vida? Porque estamos hablando como si el tiempo no existiera. Yo me había olvidado de tu carta, de tu carta grosera, de tu tono de superioridad... No me vengas ahora con esto.

—¿Te da igual que hayamos perdido nuestra amistad?

—¿Y eso me lo dices tú? Es alucinante, pero ¿tú te crees que puedes seguir siendo amigo mío después de escribirme una carta llena de barbaridades?... ¿Has venido a darme la charla?

—No, no quiero darte la charla, Dios me libre. Sólo preguntarte si no te importó que estuviera dolido, deprimido, que me sintiera estafado...

—Vamos a ver, pongamos las cosas claras, ¿qué es lo que te molestaba verdaderamente, contesta por primera vez en tu vida la verdad, qué es lo que te molestaba, que él escribiera esa novela, o que yo me hubiera casado con él, con un hombre interesante, y que ya no te necesitara, que mi vida fuera por otro lado?

—Con un hombre importante.

—Sí, importante. Y qué.

—Nada, eso se veía venir.

—¿Es que hubiera sido mejor que yo me hubiera prestado a mantener una relación contigo a espaldas de tu mujer? Pero ¿en qué mundo vives, hombre?

—Aunque no lo creas yo me alegro de que te haya ido bien en la vida.

—No se nota, cualquiera diría que es al contrario.

—¿Te parece que te envidio?

—¿Por qué no?

—¿Qué es lo que te envidio, dime, el dinero, la posición social?

—¿Por qué no, o es que tú estás libre de los pecados del resto de los humanos?

—No, no estoy libre, pero aunque no lo creas, se pueden envidiar otras cosas que el dinero o esa posición en la que tú estás ahora tan instalada.

—¿Qué le ves de malo a mi posición?

—Nada, sólo que no me pareces tú. Yo recuerdo a una mujer con más ambiciones que la de estar al lado de un señor importante.

—No estoy con ese señor sólo porque sea importante, también estoy porque él tuvo el valor de separarse y casarse conmigo. Y no soy consciente de llevar una vida tan frustrante, de verdad, no sufras. Tú también tenías muchas ambiciones, si quieres te nombro unas cuantas. La diferencia es que mientras tú echas de menos aquel tiempo yo no lo echo de menos en absoluto. Vivo al día.

El camarero entró. Mientras servía el café los dos se quedaron callados. La voz de Samuel acaparó entonces el silencio. La necesidad de la cultura en los países pobres, el deseo insaciable de literatura que había encontrado en su viaje reciente a Centroamérica, la injusticia que suponía el que nuestro país mirara más hacia Europa que hacia sus hermanos naturales de Latinoamérica... En presencia de Jorge, Eulalia apreció, en contra de su voluntad, una vulgaridad difícil de definir en aquellas palabras. Tal vez es que de pronto era consciente de la cantidad de veces que las había escuchado. Se sintió francamente molesta con esa idea, como si un tercero le estuviera haciendo ver cosas en su marido que ella prefería ignorar. El sonido de una nota falsa.

—¿Me consideras un fracasado? —la pregunta de Jorge sacó a Eulalia de su pensamiento. Fue consciente de que el camarero ya se había ido.

—Por qué, yo no te juzgo, eres tú el que piensas que por estar aquí, aburrido, decepcionado, aquí y a lo mejor en tu casa, tienes el derecho a criticarme; qué piensas, que soy una pija, una pedorra, estás decidido a enumerarme todas mis contradicciones. ¡Venga ya, por Dios!

—No, tú sabes de sobra tus contradicciones, no hace falta que yo te las recuerde; eso sí, a veces cuando te oigo hablar por la radio, no sé, tanto radicalismo saliendo de tu boca...

—Ah, claro, sólo tú puedes ser de izquierdas, ¿verdad? Tú con tu sueldo de funcionario de la tele estás autorizado, y yo en cambio..., ¿te sentirías más a gusto si me hubiera afiliado al Partido Popular? Ufff, toda esa pamplina ideológica. No la aguanto.

El periodista despedía al entrevistado. Desplegó un derroche de buenos deseos, de elogios rituales a los que Samuel respondía con inclinaciones de cabeza.

—Puede que si nos dejamos de ver durante un tiempo —dijo Jorge, levantándose— las cosas vuelvan a su cauce...

Eulalia se levantó también. El temor a que Samuel apareciese le llevó a darle dos besos de despedida.

—No sé, Jorge, a lo mejor hay que admitir que las personas cambiamos, y que el daño que hayamos podido hacernos sea irreparable...

—Me estoy separando.

—Haces mal.

—Me voy, no estoy con ánimos de saludar a..., a tu marido.

—Sí, yo prefiero que te vayas. Suerte.

—Gracias. Tú ya la tienes. Al menos eso dices.

—Sí, la tengo. Pero siempre es bueno que te la deseen.

Jorge salió, se volvió un momento para mirarla, y ningún deseo, ni bueno ni malo, salió de su boca.

Segunda parte

Cuando te mira un búho vienen siete años de mala suerte

Se ha metido en la ducha, por ver si se le quita el olor de una vez por todas. Ya antes se había lavado en el bidé, antes de llamar a Eulalia, pero fue recoger la cocina y sentarse en el sofá a esperar y volvió a encontrar el rastro del olor, en dónde, ¿en las tetas?, había pensado mientras metía la nariz dentro de la camiseta. No podía estar media hora soportando aquello, así que ha decidido ducharse. Se restriega bien con la esponja y, cuando la pasa por el pecho, tal vez ha empleado demasiado ímpetu en el gesto porque siente un dolor que se le extiende hasta la espalda. Luego enciende un cigarro y se lo fuma allí, envuelta en una toalla y sentada en el wáter, como hace en el trabajo, y no porque Eulalia le haya dicho que no puede fumárselo en la cocina sino porque ella es así, hay cosas que le gusta mantenerlas en secreto, siempre ha sido muy reservona. Una tarde del verano pasado, después de comer, se metió en el wáter que hay al lado de la puerta de servicio, y se encendió el pitillo, como hace todas las tardes, entre los cubos, los detergentes, las mopas. Dejó la puerta entreabierta —mal hecho— pero es que hacía un calor mareante, pegajoso, y de pronto, qué susto, asoma la cabeza por allí el señor. De verdad que era a la última persona que esperaba ver porque no se puede decir que él rondara mucho esa parte de la casa. Lo del susto es literal, tenía las piernas encima del cajón del detergente y al verlo las bajó al suelo como movida por un resorte, perdió el equilibrio y se cayó. Vaya, perdona, le dijo él, tenía que haber llamado. Estaba buscando la fregona porque el perro se le había meado en el despacho. Que no, que no, le dijo ella, ya voy yo. Pero él se empeñó en limpiarlo y también se empeñó en que siguiera con las piernas para arriba terminándose el cigarro. Y la cosa no acabó ahí porque a los cinco minutos volvió con la fregona y le pidió un Fortuna y se echó varias caladas con ella diciéndole, así con esa media sonrisa que pone, que quería ver si le encontraba el punto a eso de fumar en el wáter. Luego la jefa se enteró —por él, claro— y me insistió en que me fumara en la cocina el cigarro después de comer, y más le insistió la madre de la jefa, ésa más aún, porque ésa no para de fumar en todo el día, no ha visto mujer que fume más que ésa, con ochenta y tantos años que tiene, y tan fresca, con el ojo guiñao todo el día porque se deja el pitillo en la boca para hacer los solitarios. Lo que yo digo, piensa Tere, esa cocina más que a comida huele a tabaco. Por eso me gusta a mí retirarme al wáter y echar mi ratito allí a solas, entre otras cosas para descansar un poco de la vieja que me pone la cabeza del revés de lo que habla esa mujer.

Las bragas que se quitó están en el suelo. Se queda pensando un momento y luego decide volvérselas a poner. Lo prefiere antes que ir al cuarto otra vez. Mira la hora: las cinco y veinticinco. Tiene que estar a punto de llegar. Se viste rápidamente. Antes de salir del baño abre la ventana para que se vaya el olor a humazo, que parece que no da buena impresión. Sale al saloncito. Echa un vistazo para ver si todo está en orden. Lo está. Impecable. La estantería abarrotada de pequeños objetos, las familias de animales de cerámica que a ella tanto le gustan. Las pone en fila, de mayor a menor, la familia de elefantes, caballos, jirafas, osos polares. Su hermana siempre le dice que los adornos en las casas sólo sirven para acumular mierda. Pero ése no es el caso de Tere, ella todos los sábados pone a los animalitos encima de la mesa, limpia los estantes y vuelve a colocarlos después de haberles sacado brillo. No los coloca siempre de la misma manera. Para que no se aburran, se dice a sí misma. Muchos de ellos son regalos de Jose, los colibrís, por ejemplo. Se los levantó a una familia a la que hizo un porte. Anda que se va a acordar esa gente de los colibrís con la cantidad de cosas de luxe que tenían, vi los colibrís y me dije, éstos para mi Tere.

Jose sabe que le gustan, sobre todo, los bichos exóticos y siempre saca tiempo para darse una vuelta por los sitios esos de souvenirs que hay en la playa, por ahí se encuentran siempre esas rarezas. Cuando llega a Madrid y va a verla a su casa ya sube riéndose por las escaleras sabiendo que ella le va a registrar los bolsillos como si fuera una niña que buscara su golosina y, si se da el caso de que él no le ha podido traer nada, tendrá que soportar que durante un rato se quede un poco mohína. Un día se lo contó a su colega, a Luismi, y éste le dijo: es que no hay tía que no tenga algo raro. Bueno, piensa Jose, que todas las rarezas sean como ésa. Pero qué maravilla cuando sí que encuentra algo de su gusto, esos tres pececillos disecados que le trajo de Cullera. En esos momentos, Tere se empieza a reír y le da un beso con la boca bien abierta, metiéndole la lengua, diciéndole cosas que a cualquiera le volverían loco y que uno no podría repetir sin morirse de vergüenza. Hay veces que Jose se pone celoso y le pregunta quién le regaló los otros bichos, los que estaban antes de que yo llegara, y Tere le dice, ay, pesado, pues mi hermana, quién va a ser, y antes mi madre, ¿no ves que esto viene de antiguo? Pero Jose quiere saber si a cambio de la familia de osos panda, o de la de pájaros carpintero, Tere le metió la lengua a alguien y se lo llevó al cuarto tirándole de la polla como hace con él. Lo mismo que le gusta de ella es lo que le da miedo, esa alegría insensata con la que recibe todos los regalos, ese amor que tiene por las cosas, por las cosas materiales. Un día igual me das puerta y te vas con otro que tenga más dinero que yo, le dice. Y Tere se ríe, anda, cacho bobo, pesado, que eres un pesado, mira que la cosa. Pero a Jose le parece que se lo dice sin verdadero convencimiento.

No, no seas zalamera, le dice cuando ella se le sube encima. Él sabe que es su táctica para huir del momento de los juramentos: ¿me quieres?; pues claro; júramelo; ¿para qué?; júramelo; bueno, te lo juro; ¿por quién me lo juras?; no te lo juro por nadie, te lo juro y punto; no, eso no vale, júramelo por alguien, por tu hermana, júramelo por tu hermana; por mi hermana yo no te juro nada; ¿por qué?; anda, pues porque no; si estás tan segura de que me quieres, ¿qué problema tienes en jurármelo por tu hermana?; porque no quiero meter a mi hermana en ningún juramento, no me gusta; pues la gente jura por sus hijos, por su madre muerta, la gente dice, si no es verdad lo que te digo que me quede muerta ahora mismo; vale, que me quede muerta ahora mismo si no es verdad lo que te he jurado, ¿ves?, no me he muerto, será que te quiero; bueno, y ahora me lo juras por tu hermana; y dale con mi hermana...

Ella se sube encima y se mueve de mil maneras para que él se calle y si no se calla entonces desciende por su vientre, acariciándole las piernas con las tetas, besándole los huevos, comiéndole. Y entonces él se rinde, él y cualquiera, ya ves, pero cuando todo acaba y se adormilan un rato, se siente tan feliz como fracasado porque siempre le queda la sensación de no tener la verdad absoluta en sus manos. Pero ¿qué te crees tú, le dice ella, que esto que te hago a ti se lo hago yo a cualquiera? No, piensa Jose mientras marca el teléfono de Tere desde un chiringuito de Estepona donde han ido a montar una cocina, a cualquiera no se lo haría, de eso está seguro, pero no lo está tanto de que ella no le deje plantado cuando encuentre a alguien que no sea un cualquiera. Un cualquiera como él.

—Llegaré mañana, sobre las cinco, ¿estarás ya en casa?

—Creo que sí...

—No me preguntas si te llevo algo —le dice él. Siempre hay, en su actitud, algo que indica que no se siente suficientemente querido, y esa debilidad es la que le provoca mal sabor de boca cuando cuelga.

—Claro, claro que te lo pregunto.

—Bueno, no te lo voy a decir, ya lo verás. ¿Estás sola?

—¿Con quién voy a estar?

—Con tu hermana, con la niña de al lado, yo qué sé, no era más que una pregunta, ¿te pasa algo?

—No, que me tengo que ir a casa de Eulalia a estar con la vieja esta noche.

—Jugaréis a las cartas...

—A lo mejor. Mira, Jose, no te enfades, es que te tengo que colgar ya. Me pillabas con el abrigo puesto.

—Bueno, vale, pues nada. Espérame mañana bien guapa. ¿Tienes ganas de verme?

—Pues claro.

—¿Me lo juras?

—Ay, no empecemos —no quiere que los nervios la traicionen, sería tan fácil que ahora mismo perdiera la paciencia y se pusiera a llorar y le gritara, no quiero volver a verte, no vengas ni mañana ni nunca, vete a la mierda con los juramentos, pero sabe que hoy no puede entretenerse con la misma cantinela de siempre—. Te lo juro por mi hermana, que se muera ahora mismo.

—Vaya... —dice él. Está sorprendido.

—Bueno, que voy con la hora pegada al culo. No me llames más que no voy a estar.

Él cuelga el teléfono. Se saca del bolsillo un estuche que contiene la sortija con un pequeño topacio que acaba de comprar. Toma la sortija y cierra la mano con fuerza. Es como si el puño contuviera la pregunta que piensa hacerle nada más llegar: ¿te vienes conmigo o te quedas? Ya no hay más que hablar. No sirve la excusa de que no se irá hasta que no tengan para dar la entrada de un piso. Ahora o nunca. Luismi le dice, en cuanto vea que te largas saldrá corriendo como una perra detrás de ti, así que dale un susto, no seas gilipollas, hazle ver que no estás a su antojo, todas las mujeres quieren casarse, si esta pelma está dándote largas es porque te tiene cogido por los huevos, y eso una tía lo nota.

Pero hay algo que no le encaja, ¿por qué ha jurado tan rápido?, ¿para quitárselo de en medio? Como hace tantas veces empieza a recordar, a reproducir esos momentos en los que él le pide palabras de amor y ella escatima el decirle te quiero abiertamente. Ahora tiene claro que la cree mucho más cuando se empecina en no decírselo que cuando, como hace un instante, se lo suelta enseguida.

Tere descuelga el teléfono porque está segura de que él volverá a llamar. Ahora se arrepiente de no haber sido más convincente, tiene la sensación de no haber sabido aparentar normalidad. Bueno, qué coño, mañana le dirá que le quiere, mañana tiene que decirle que le quiere y se lo debe decir de tal manera que él va a creerla por fuerza porque si no se va a sentir perdida de verdad.

De pronto se acuerda de los búhos que le regaló Eulalia. Se pone a buscarlos por los cajones del mueble desesperadamente, como si fueran un elemento indispensable en la visita. Los ve debajo de los cuadernos del colegio y respira hondo, siente que no haberlos encontrado hubiera sido el presagio de una catástrofe. Los deja colocados en la estantería de mayor a menor. En cuanto ella se vaya los tirará a la basura. Su hermana Fabiola siempre le dice, no empieces con lo del búho otra vez, que me da yuyu. Su hermana Fabiola sólo cree en lo que toca y en lo que tiene delante, ahí está la diferencia entre las dos. Ella, sin embargo, piensa que hay algo, llámale Dios o llámale una confluencia de energías, pero algo, algo que rige nuestros destinos. A las pruebas se remite. El búho se le apareció cuando tenía seis años. Era verano, la ventana de la habitación que compartían Fabiola y ella estaba abierta de par en par aunque su madre lo tenía prohibido porque no era raro que se les colara algún bicho. En esas casas próximas al río los murciélagos volaban muy bajo y más de una vez se les había colado alguno, y los mosquitos, incluso algún ratoncillo de campo, pero hacía un calor tan espantoso, que Fabiola desobedeció a la madre, cerró la puerta con cerrojo y dejó la persiana levantada para que corriera el aire.

Debía ser una noche muy clara porque cuando un ruido no familiar la sacó del sueño más profundo recuerda haberlo visto todo con absoluta nitidez. Fue un ligero aleteo, no el escándalo que un verano anterior había organizado el murciélago y que las había hecho saltar de la cama y empezar a gritar, no, esto era un ruido suave que tal vez la despertó más porque era extraño a los sonidos habituales de la noche que por su volumen. Era como escuchar los pasos de alguien que quiere vigilar tu sueño sin despertarte. Cuando abrió los ojos lo vio. Estaba en el alféizar de la ventana, mirando el interior de la habitación. Él debió percibir que se había despertado porque sus luminosos ojos redondos que parecían contemplar la alcoba en su conjunto se dirigieron ahora penetrantes, de un verde que dolía, hacia ella directamente. Tere susurró en el oído de su hermana, Fabiola, Fabiola, pero no consiguió despertarla. Estuvieron un largo rato mirándose con intensa curiosidad, siendo conscientes los dos de la rareza del otro. La niña se dejó vencer por el sueño en contra de su voluntad aunque hubiera deseado estar despierta toda la noche para ver de qué forma remontaba el vuelo y se marchaba. Por la mañana el búho ya no estaba allí, claro. Fabiola le prohibió decirle nada a su madre para que ésta no pudiera saber que dormían con la ventana abierta. Tere recuerda que entonces decidió contarlo en la mesa como si le hubiera pasado a otra niña vecina de la calle. Su madre, al no advertir que le había ocurrido a su propia hija, comentó sin reparos: «Menos mal que no se os coló a vosotras en el cuarto porque los búhos dan muy mala suerte, dicen que siete años de mala suerte, peor que un espejo roto, peor que te mire un tuerto».

Nadie sabe lo que una mente infantil, tendente a la ensoñación solitaria, puede recrear sobre algo que ha oído. La frase de su madre, a pesar de la risa de Fabiola, que era mayor y siempre más terrenal, fue creciendo en su interior como una amenaza, más todavía con la risa de Fabiola, que se burlaba de la hermana pequeña como sólo los hermanos mayores saben hacerlo, con el grado de crueldad exacto para herir profundamente. Así que cuando el abuelo medio paralítico se fue a vivir a su casa porque ya no podía valerse por sí solo, la niña aceptó sus aproximaciones, que fueron al principio supuestamente casuales y luego premeditadas, como el resultado de la maldición que llevaba tantos meses torturándole el pensamiento, y a pesar del dolor y del terrible secreto, casi llegó a sentirse aliviada por saber exactamente en qué consistía la materialización de la amenaza.

Duró seis años aquello. Su infancia entera. Y ella lo aceptó y lo vivió en silencio, con la dignidad y la hondura con que un niño sabe sufrir. Al viejo de la pierna cortada no le hizo falta ni amenazarla. Ella estaba rendida ante sus años de mala suerte y adoptaba la misma actitud que adopta una cría de cebra cuando cansada de correr huyendo de los dientes de una leona se queda paralizada y, en vez de luchar, pone en marcha todos sus mecanismos de defensa para que cuando los colmillos de la depredadora se le hinquen en el cuello ella ya esté adormecida por una sustancia narcótica más fuerte que la morfina. El viejo áspero, desconsiderado, egoísta con todos los demás, con su propia hija, la viuda joven que salía por la mañana a trabajar y no volvía hasta por la noche; el viejo que no era capaz de conceder ninguna palabra de consuelo a pesar de ser una carga añadida a la vida sin esperanza de una madre que enviudó con una criatura de cuatro años, Fabiola, y con Teresa, de meses; ese mismo viejo, que nunca abría la boca en la mesa más que para exigir, pan, vino, cuchara, café, y al que su hija disculpaba por su decadencia física —como si hubiera existido algún otro tiempo más glorioso, no lo hubo— porque necesitaba justificarle para salvarse a sí misma de la realidad que tenía ante los ojos; ese mismo viejo, llamaba a la niña desde la alcoba a la hora de la siesta, cuando no había nadie más en casa, y le abría la cama, donde él ya estaba acostado, para que ella se metiera, y no lo hacía imperativamente, ni con ese tono hosco que empleaba para exigirles a Fabiola o a su madre que le llevaran la leche con galletas a la mesilla por la noche, no, se lo pedía dulcemente, como hace un padre con el niño cuando éste tiene miedo y no puede dormir, como si le estuviera concediendo un favor. Ven aquí, anda. Y ya en el momento en que la niña iba desde la puerta a la cama era como la pequeña cebra que acepta su destino fatal sin protestar. Se sentaba, se quitaba los zapatos gorila que su madre le compraba al empezar el curso, los dejaba caer al suelo, y se metía dentro. No llegaba nunca a desnudarse, ni él le pidió que lo hiciera. Ella estaba preparada para salir a la puerta si llamaban, y de alguna forma, el hecho de que no se desnudara era la manera sutil con que el viejo persuadía a la niña de que no estaban haciendo nada malo en realidad, aunque los dos supieran que sí, y aunque ella tuviera claro que hay cosas que no se pueden contar a tu madre, porque lo que no se ha contado el primer día no se puede contar después de que ha pasado un año, cuando el cajón que el abuelo te ha dejado para tus secretos está lleno de chucherías, de muñecos pequeños y pulseras y collares de plástico que compras casi a diario con el dinero que él te va dando. Cómo va a contarle a su madre que el viejo que escatima cualquier ayuda económica que se le pide, que no concede más que lo acordado, que protesta ante cualquier gasto extraordinario, ese abrigo que le hace falta a Fabiola, o los recibos del colegio, no duda en ponerle unas monedas en la mano todos los días. Cómo va a confesárselo a su madre cuando cumple los diez años y empieza a notar cómo le crece el pecho, las dos bolas duras de sus pezones en las que está contenido el pecho futuro, el primer signo verdadero de sensualidad que sin saber por qué le hace el secreto más y más doloroso, tanto que se convierte en una niña introvertida no sólo en casa sino con sus amigas por miedo a que algún detalle la delate; cómo va a confesarlo si con el tiempo ella ha aprendido a exigir más por dar más y a escatimar sus caricias cuando lo que se le da a cambio no le parece suficiente. Hace tiempo que dejó de sentirse víctima, ya no es la pequeña cebra que cierra los ojos para no verle la cara y se concentra hasta alcanzar un estado cercano al sueño, ahora, al igual que le han brotado las dos pequeñas pelotas dolorosas en el pecho, le ha surgido una personalidad endurecida, demasiado práctica tal vez para una niña de diez años, y es capaz de poner sus condiciones, de amenazar y de pedir. También es capaz de ser consciente del asco que siente, hacia él y a veces hacia sí misma y, sobre todo, es incapaz de discernir si ahora renunciaría a la recompensa, una recompensa miserable aunque ella no lo sabe, ella cree que el cajón guarda un tesoro, y a veces, lo que más le preocupa es pensar que el escondite está demasiado a la vista y que un día su madre entrará al cuarto del viejo y arreglará los cajones y dirá, pero esto qué es. Cuando Fabiola y su madre están delante, el viejo y ella apenas se dirigen la palabra, aunque la madre aprecia que la niña es tratada de un modo diferente por su padre, con más consideración, y eso, lejos de provocar ninguna sospecha, lo que genera es que la utilicen como emisaria cuando quieren sacarle al viejo algo más de lo que normalmente está dispuesto a dar.

A la niña le gusta soñar despierta. Hay un sueño al que recurre para sentirse bien, lo imaginó hace tiempo y lo repite siempre de la misma manera, como el niño que desea que le cuenten el mismo cuento, recreándose en cada detalle tantas veces escuchado que ya parece formar parte de una realidad paralela: el viejo se muere de repente y no solamente heredan la huerta del otro lado del río, la casa del Molino y los cinco millones que creen que tiene en el banco, heredan el triple o más, porque al morir se descubre que tenía una fortuna secreta, y entonces la madre deja de limpiar y pasa el día en casa, puede leer revistas de mujeres en el sillón con los pies en alto, y vuelve a dormir en su propia cama, en la cama en la que ahora duerme el abuelo, la cama desde la que llama por las tardes, Tere, Tere, por dónde andas, nena.

Pero el viejo no se muere. Le cortaron el mal por lo sano, como él dice y con una pata sólo no se vive tan mal, así que ella tiene que conformarse sacándole poco a poco lo que tiene. A lo mejor llega un día, dentro de muchos años, claro, en que haya logrado dejarle seco, sin un duro, y entonces se imagina al viejo llamando desde el cuarto, ¡Tere, vente ya conmigo!, y ella pasando, viendo la tele y pasando, como quien oye llover. Piensa en eso y le da la risa, aunque por supuesto prefiere el sueño en que él se muere, es un sueño mucho mejor, porque no hay que esperar tanto, ni que olerle el aliento por las tardes, el aliento del *Chuski*, el perro del vecino, igualito que el aliento del *Chuski*, que huele a pescado podrido. Igual. Si por ella fuera, si sus sueños se cumplieran, mañana mismo estaría muerto. Se lo encontraría su madre al levantarse. Le parecería extraño que el viejo no la hubiera llamado desde el cuarto pidiendo su café con leche, con la voz cargada de impaciencia, como si llevara toda la noche esperándolo. Asomaría la cabeza por la puerta extrañada y le vería ahí, con la boca abierta y la cara de muerto que ponen los muertos, y gritaría, ¡Fabiola, Fabiola!, y también gritaría, ¡que no entre la niña, no dejes pasar a la niña!, y Tere ese día no iría a la escuela, esperaría en la puerta de casa a que los primos de su madre salieran cargando el ataúd que llevaría al abuelo dentro, vestido con el traje y la corbata que se ponía para ir a misa y con la pata de plástico enganchada. Esperaba que no se les olvidara ponerle la pata porque si la pata seguía dentro de la casa igual el alma del viejo no se acababa de marchar y se le aparecía por las noches. Que se llevaran la pata y la silla. Dicen que las cosas que pertenecieron a un muerto conservan su alma y ella no quería que el alma de su abuelo estuviera sentada en la silla viendo la televisión, como hacía todas las tardes después de la siesta, después de echarle en las narices el aliento del *Chuski*.

Pero el viejo no se murió pronto. Tendría once años cuando un sábado por la mañana Fabiola entró muy pálida en el cuarto de baño en el que Tere se lavaba los dientes. Llevaba una sábana sucia en la mano.

—Nena —le dijo—, dime, ¿tienes la regla, verdad?

—Sí, desde ayer, pero yo tenía mis compresas, no he cogido las tuyas.

—¿Cuándo te pusiste la primera?

—¿La primera compresa?

—Sí, la primera compresa, ¿cuándo te la pusiste?

—Pues no sé... —dijo Tere, que comenzó a contestar lentamente, pensando mientras hablaba si había hecho algo por lo que se tuviera que defender—, a las siete de la tarde o así.

—Hay una mancha en la sábana.

—Ah, ahora la cambio, no me había dado cuenta.

—No es en tu sábana donde está la mancha.

Antes de que pudiera entender la frase de su hermana Tere sintió un golpe de calor que le subía a la cara. Como si el rubor hubiera sido anterior a la propia conciencia de lo que Fabiola le estaba diciendo. Y lo peor fue que, al estar ante el espejo, ella misma podía verse las mejillas encendidas, la imposibilidad de ocultar su vergüenza.

—La mancha estaba en la cama del abuelo.

—¿Y a mí qué?

—¿Tú sabes algo de esta mancha, Tere?

—Yo qué voy a saber, por qué tengo que saber yo algo... —y bajó la cabeza hacia el lavabo, con la excusa de enjuagarse la boca.

Fabiola se agachó con ella, le agarró los hombros y luego la cara con cierta violencia.

—¿Es que no confías en mí?

—Déjame, no te entiendo —dijo Tere, intentando escabullirse. No pudo evitar que la voz se le quebrara.

—Si alguien te hiciera daño, ¿me lo dirías?

—Sí te lo diría.

—Y a mamá, ¿se lo dirías?

—No lo sé, a lo mejor no.

—Dime una cosa, sólo una, ¿te echas en la cama del abuelo alguna tarde?

—Alguna.

—¿Te pide él que te eches o te echas porque tú quieres?

—No me acuerdo.

Tere recuerda haber pensado en ese momento: qué extraño, Fabiola siempre dice eso de «hay que ver para creer» y ahora parece que lo sabe todo sin que yo le haya contado nada, sin haber visto más que la mancha de sangre; y recuerda verla sentada en el borde de la bañera, con la sábana abrazada contra el regazo, meciéndose y quejándose como si algo le doliera.

Ese mismo día, después de comer, pudo escuchar cómo Fabiola y su madre discutían en la cocina. Se quedó en el pasillo parada, intentando descifrar las frases que se decían en esa conversación que mantenían entre susurros hasta que su hermana parecía perder la paciencia y levantaba la voz. La madre chistaba para que se callase. ¿Qué quieres que haga?, decía la madre, ¿qué puedo hacer yo?, ¿cómo voy a saber cuánto hay de verdad en lo que tú estás imaginando?; ¿cómo que qué puedes hacer? Dile que se vaya; no le puedo decir que se vaya sólo por una sospecha; no, eso es lo que tú quieres creer, tú quieres creer que es mentira, que me lo estoy inventando; y por qué querría yo eso, hija mía, qué cosas me dices, me torturas, me torturas, me queréis volver loca, y entre las dos lo vais a conseguir, me vais a volver loca;

no sé por qué no quieres hacer algo, no lo entiendo, o sí que lo entiendo y me parece horrible, ¿cómo puedo irme a Madrid y dejarla aquí con vosotros dos?, ¿cómo voy a irme tranquila?; estás sacando las cosas de quicio, hija mía; me la llevaré, en cuanto pueda me la llevaré; porque tú lo digas, vete tú, si quieres, quién me iba a decir a mí que después de todo lo que he hecho me quedaría sola; no te vas a quedar sola, te quedas con él; eso es como quedarse sola; cada uno tiene lo que se merece; me torturas, hija mía, y bien que lo sabes; si le echas dejaré de hacerlo; no puedo, ¿cómo puedo echar a mi padre, cómo me pides eso?; entonces me la llevaré en cuanto pueda, te lo advierto.

A Tere se le cae una lágrima mientras pasa por última vez el paño en la estantería, y es raro, porque ella no suele llorar. Puede que sean los nervios. Si tuviera una pastilla para tranquilizarse, pero en el cajón de las medicinas sólo tiene aspirinas y algún jarabe caducado. Es dura como una roca. Tan dura de cuerpo como de corazón. Con ella los psiquiatras lo llevarían claro. Los psiquiatras están para el que tiene dinero y no sabe en qué gastarlo, no para ella. Eulalia va al psiquiatra, ella no se lo ha dicho, pero cuando una entra a limpiar en una casa, se entera de todo, de lo bueno y de lo malo. Se entera de que doña Leonor bebe desde por la mañana, se entera de lo mal que le sienta eso a Eulalia aunque nunca le diga nada a su madre, no le dice nada pero se le pone una cara que ya. Claro que una se entera de que Eulalia también toma lo suyo, pastillas para esto y lo otro también desde primera hora. La vieja lo comenta como para sí, pero en el fondo es para que Tere la oiga. Esta chica, dice doña Leonor, esta chica está irritada, lo estuvo siempre, pero ahora con el desarreglo femenino más todavía.

Cuando estaba recién llegada a Madrid, Fabiola se empeñó y la llevó al psicólogo. A uno del seguro, claro. Fabiola se empeña en una cosa y a ver quién le dice que no. Se empeñó en traérsela a Madrid y a Madrid que se la trajo. Un año antes de que se muriera el viejo. O sea, que todavía le dio tiempo a ella a cambiarle el paquete porque a última hora se lo hacía todo encima. Sólo de pensarlo, vomita. Y luego, cuando se murió, por más que insistió la madre, ninguna de las dos fue al entierro. La madre decía, a ver qué va a decir la gente si no venís ninguna. Pero si Fabiola dice que no, es tontería insistir, porque es que no.

Lo del psicólogo duró nada, dos meses escasos. El primer día Fabiola estaba con ella, o sea, que los tres. El hombre empezó a preguntar. Natural, es su trabajo, le pagan por preguntar, pero lo que ella dice, a mí nadie me paga por responder, así que se quedó con cara de tú me dirás, y entonces fue Fabiola la que empezó a hablar, mejor dicho, a irse de la lengua. Contó unas historias... ¡pero unas historias!, que ella se pasó la hora mirando al suelo, porque una cosa es que al hombre le cuentes cómo te va, si bien, si mal, si no duermes, si no comes, la cosa diaria, eso se puede entender, ahora, de ahí a entrar en detalles. Cuando salieron de la consulta, le dijo a Fabiola: pues si tanto te gusta, vuelve tú mañana. Pero no, a ella se le había metido en la cabeza que había que curarle un trauma y el psicólogo decía lo mismo, que también, que había que quitárselo porque además estaba muy muy escondido, como un tumor, dijo, que se encontrara tan dentro de la carne que no había radiografía que pudiera mostrarlo. Pero ella estaba muy feliz, se hartaba de decir que estaba muy feliz, como nunca, se pasaba el día con Rubén, que entonces tenía un año o así, preparándole la papilla, dando paseos con el cochecito, enseñándole canciones, tonterías. Hasta dormían juntos en el mismo cuarto. Todo el día los dos solos, hasta que su hermana volvía de la peluquería.

De verdad, de verdad, Rubén es lo que más ha querido en su vida. Casi más que a Fabiola. Más que a su madre, porque Rubén nunca le produce tristeza y su madre sí. No sabe por qué, pero su madre siempre le produce angustia. Hace dos años, fue a verla por navidades y, sin venir a cuento, ella le dijo: «Nunca me vas a perdonar, ¿verdad?». Y Tere se levantó y se fue porque no le gusta que le hagan preguntas, ni su madre ni el psicólogo ni nadie. No le gustan las grandes conversaciones. Lo mejor de aquella época era que Rubén padre tenía a veces turno de noche y entonces ella se metía a la cama de su hermana y al rato metían a Rubén y todo era como si el tiempo no hubiera pasado y nadie las molestara porque Rubén niño era parte de las dos. A ella la quería tanto como a su madre, y a veces la quería más. Era feliz. Dormir abrazada a Rubén niño ha sido lo mejor de su vida. Dicen que la felicidad es de tontos, pues eso, como una tonta perdida. Así hubiera seguido siempre, pero claro, Rubén niño empezó a hacerse mayor, empezó con la guardería, y a Fabiola no le gustaba que ella se pasara la vida en casa mano sobre mano y menos cuando Rubén padre tenía turno de noche y estaba todo el día en casa. Fabiola dice cosas como: «¿Un hombre y una mujer muchas horas bajo el mismo techo? Malo, malo», o «Los hombres piensan con la polla». Los hombres, puede que sí, pero Rubén padre no piensa, ni con la polla ni con la cabeza. A Rubén padre le pones la comida en la bandeja y come mirando a la tele. A los tres minutos, el plato limpio. Es bueno, el mejor cuñado, pero no piensa.

Cuando a los dos años de estar ella en Madrid les dieron al fin el piso de la cooperativa, Tere dijo que ella no se iba, que se quedaba en el pisito de San Blas viviendo de alquiler. Los dos pusieron el grito en el cielo, que adónde vas a ir tú con diecinueve años, que en qué cabeza cabe. Pero no pudieron convencerla. Además, ya ganaba su dinero. Había empezado de limpiadora en el Pryca pero al cabo de un año ya era la jefa de las limpiadoras. Y es que a ella el trabajo no le asusta. Y como no tenía casi amigos ni nada que hacer más que trabajar, cuando las otras estaban deseando salir por pies, ella se quedaba la última. No por esquirola, como le dijo Pepi Hierro, sino porque a ella trabajar, y más aún, limpiar, no le importa, la relaja. Si limpias no piensas, y cuando piensas sólo lo haces en cosas agradables. No me preguntes por qué, le dice a su hermana, pero es así. Hasta en eso eres rara, le dice Fabiola.

Pepi Hierro se la tenía jurada. Le tenía gato desde que entró. Ésa era la teoría de Fabiola. Fabiola no conocía a Pepi Hierro, la conocía de oídas, de lo que le contaba Tere a la vuelta del trabajo todos los días, pero Fabiola siempre tiene teorías para todo el mundo, y normalmente acierta. Fabiola decía que a Pepi Hierro le daba envidia que Tere fuera tan a su bola, y cumpliera con lo suyo sin andar pendiente de lo que hacían las demás. A Pepi Hierro, que es un callo, le da envidia que tú tengas un buen cuerpo, y que te quites el uniforme y parezcas una señora, y Pepi Hierro tiene cara de marmota con la bata y sin ella, pero tú pasa, que la den por culo, tú no dejes que te provoque.

Fabiola tiene más de un sexto sentido, porque fue Pepi Hierro la que corrió la voz de que Tere andaba liada con uno de los encargados, que sabía de gente que los había visto a la hora del bocadillo en el almacén echando un polvo detrás de las cajas y de ahí que el ascenso de Tere hubiera sido tan espectacular, cuando había muchas, decía Pepi Hierro, con años de antigüedad, que se lo hubieran merecido mil veces más, desde luego. Y como suele ocurrir, el chisme llegó un día a oídos de la interesada. Se lo contó Asun, la única amiga que hizo en todo el tiempo que estuvo trabajando allí.

Uña y carne desde entonces, ahora va con ella a la escuela por las noches. Estaban echándose un cigarrito en el almacén después de comer, sentadas en el suelo, Asun había recostado su cabeza en el vientre de Tere, y le dijo sin venir a qué, «Si fueras un hombre me enamoraría de ti y te daría un beso ahora mismo». Tampoco hace falta que sea un hombre, le dijo Tere. Entonces Asun levantó la cabeza para besarla, Tere le sujetó la cabeza con las manos y sin saber cómo ni quién tomó la iniciativa, el beso que iba a ser en la mejilla fue en la boca, no en los labios, no, con la boca abierta. Ninguna comentó nada de lo que había pasado, luego siguieron hablando. Asun le preguntó, «¿Es verdad que te venías aquí con el señor Molina?». Tere bajó la cabeza mirando para otro lado, como hace siempre que le preguntan algo que no quiere contestar y la amiga, para ganar su confianza, le acabó contando el chisme tal y como le había llegado a ella.

Tere no se acuerda demasiado de lo que pasó entonces, se acuerda de tener la vista nublada, como si sobre las cosas se hubiera posado un velo metálico, grisáceo, que sólo desapareció con el rojo de la sangre de la mejilla de Pepi Hierro, que gritaba como una cerda. Alguien le quitó la navaja a Tere de la mano, una navaja diminuta con la que cortaba todos los días el pan para hacerse el bocadillo. El guardia jurado le dio una importancia exagerada a la navaja, como si el hecho de que le hubiera puesto la punta contra la cara la hiciera mucho más peligrosa, pero Tere sabe que de lo que sintió ganas cuando la tuvo inmovilizada bajo su cuerpo, con las rodillas sujetándole los brazos y la navajita en la cara, de lo que verdaderamente sintió ganas fue de partirle la nariz, arrearle un puñetazo y romperle el hueso. Lo de la navaja era sólo para asustarla un poco pero la gilipollas se movió y se hizo el corte. Un corte de nada, pero se arrancó a gritar la muy falsa. Como una cerda.

Fue la sangre que brotó con una rapidez alarmante, manchándoles la cara a una y a la otra la mano, la que devolvió el color a las cosas. Soltó la navaja, la dejó caer sobre el suelo, y sintió cómo alguien la agarraba por la espalda y la separaba del cuerpo de Pepi, que seguía gritando, mostrando la sangre al corrillo de empleados que se había formado en torno a ellas, montando el número.

Ese día la mandaron a casa. El mismo hombre que la había sujetado los brazos la llevó en su camioneta. Era Jose. Así lo conoció. Y fue el primer hombre que subió a su piso. Se sentaron los dos en el sofá. Él la miraba de soslayo, sin atreverse a observarla francamente. Ella le explicaba que lo que más le había molestado es que la bruja fuera diciendo por ahí que si había conseguido el ascenso era porque se acostaba con el gerente. Todavía hablaba entrecortadamente, como si no hubiera sido capaz aún de tranquilizarse. No se había cambiado de ropa antes de salir del híper, como hacía todos los días, llevaba la bata de limpieza y una chaqueta de punto azul marino encima que se cerraba de vez en cuando con las manos. Sobre las medias se había puesto calcetines, algo que hacían muchas de las chicas para no coger frío porque más de una vez salían a la calle a tomar el fresco y fumarse un cigarro. Las medias feas, con alguna carrera, parduzcas, medias de limpiadora, los calcetines blancos encima y unas zapatillazas de deporte, incongruentes, demasiado grandes. Le daban un aspecto infantil. Jose se hubiera abalanzado en ese mismo momento sobre ella, le hubiera metido la mano por debajo de la bata entreabierta y le hubiera agarrado el coño, eso es exactamente lo que pensaba mientras ella le confesaba, fumándose un cigarro, lo que le hubiera hecho a Pepi Hierro, lo que le haría, sí, lo que le haría, porque esto no había terminado ahí. Olía a productos de limpieza, no a los perfumados que se utilizan en las casas, olía a la lejía y al amoniaco con los que se limpian los wáteres públicos. Jose pensaba en su mano entrando violentamente entre sus piernas, rompiéndole las medias de chacha y tirándosela con las zapatillas de deporte puestas. Ese pensamiento tan incontrolado le impedía escuchar, y la miraba de soslayo, torvamente, porque estaba seguro de que al mirarla de frente se hubiera delatado. Se imaginaba que tendrían que pasar días antes de que pudiera hacer la primera aproximación, debería cumplir con todos los rituales, los cruces de miradas, el intercambio de pasados, el primer beso. Con el arrojo que había demostrado la chica en defender su dignidad cualquiera daba un paso en falso con ella.

Nunca hubiera podido sospechar que todo sería tan rápido. Tere le preguntó, ¿has comido? Le hizo unos huevos fritos con patatas y luego le puso un café y una copa de coñac y luego otra copa. Él se la quedó mirando, ahora sí, a los ojos. Le pareció sorprendente encontrar en su mirada esa disponibilidad sexual que luego le ha resultado tan familiar. Y aturdido, casi sin creerse lo que estaba haciendo, le metió la mano por debajo de la bata aunque el que todo fuera tan fácil restó fuerza al arrebato imaginado. Cuando acabaron él le dijo: «No me contestes si no quieres, pero ¿era verdad que te estabas tirando al gerente?». Tere le quitó de encima de un empujón: «Eres un asqueroso».

Así ha sido hasta el momento, él desconfiando, preguntando, y ella, firme en su deseo de no responder.

Se lo había tirado, sí que se lo había tirado, muchas veces, y era verdad que los habían visto, no en plena faena, los habían visto entrar en aquel cuarto de las ratas que había en los almacenes. La relación se había limitado a eso. Nunca habían quedado fuera del trabajo. Molina estaba casado, ella lo sabía, pero no porque se lo hubiera preguntado. Lo sabía como se saben las cosas en los trabajos, porque todo el mundo cuenta la vida de todo el mundo. También sabía que él tenía fama de haberse tirado a alguna más. A lo mejor lo que le pasaba a Pepi Hierro es que tenía envidia cochina. Fabiola lo había barruntado, sin saber, por supuesto, cuál era el motivo que podía provocar verdaderamente esa envidia.

En una ocasión, después de uno de esos encuentros rápidos que tenían a la hora del bocadillo o al final de la jornada cuando ya se habían marchado todas, Molina le preguntó, ¿vives con tus padres?; no, le dijo ella, vivo sola; ¿no tienes novio?; no, no tengo; ¿una chica tan guapa no tiene novio?; no; ¿y te gustaría tenerlo?; pues no lo he pensado; ¿no lo has pensado?, mentirosa, todas las chicas piensan en eso; ¿todas las chicas que te tiras piensan en eso?; oye, eres mala, eres muy mala, tú qué sabes lo que yo me tiro o me dejo de tirar; por lo que oigo; ah, por lo que oyes, ¿y qué más sabes?; que estás casado, y que tienes dos niños; ¿y no te importa?; ¿por qué me iba a importar?; entonces, ¿qué buscas con esto?; ¿con esto?, ¿qué es esto?; con traerme aquí a echar un polvo; yo no te he traído; no te hagas la tonta, ¿qué buscas?; pues echar un polvo; y tú que lo sabes todo, ¿sabes que vamos a nombrar una nueva jefa de limpieza?; algo había oído; ¿te gustaría ser tú?; sí; vaya, no lo has dudado; por qué lo voy a dudar; ¿vienes aquí conmigo para conseguir el puesto?; no; ¿y tampoco porque quieres que me separe?; no, yo no te pediría nunca eso, ¿es que tú quieres separarte?; no podría..., más adelante, tal vez, sabes, los niños son muy pequeños y...; ya, ya, no hace falta que me lo cuentes, yo no quiero nada de eso; anda que no eres rara; por qué, soy como tú, ni tú quieres separarte ni yo que te separes, los dos venimos a echar un polvo; pero si lo arreglo para que te den el puesto, mejor, ¿no?; bueno, eso me gustaría mucho, para qué te voy a engañar; ya.

Le dieron el puesto, pero eso no cambiaba nada, eso no quería decir que no se lo hubiera ganado con su trabajo. Tenía la conciencia bien tranquila. Siempre tenía la conciencia tranquila. Se había acostumbrado a no dar vueltas a las cosas, por eso con ella los psicólogos no harían nunca negocio.

Al día siguiente de la pelea la pusieron en la calle. Molina la llamó a su despacho:

—Anda, que la que me has montado...

—Yo no he montado nada, yo sólo me he defendido.

—Te tengo que echar. Si por mí fuera, haría la vista gorda, pero no puedo.

—Puedes hacer que me manden a otro híper.

—No puedo, de verdad, pero te voy a dar una carta de recomendación, eso sí —puso la mano sobre la de ella—. Nuestra amistad no tiene por qué acabarse, ¿verdad?

Se vieron solamente dos veces. La primera, Molina la esperó en el coche en la puerta de casa, ella se montó y dieron vueltas sin rumbo por el barrio. Ninguno de los dos dijo de ir a tomar algo, tampoco de subir a casa de ella. Molina le contó que a pesar de que la empresa la podía echar sin darle ni un duro él estaba intentando conseguir una indemnización, «Es difícil, imagínate, a la primera que tengo que convencer para que se calle es a la compañera que agrediste». Sin dar explicaciones aparcó el coche en un lugar solitario y mal iluminado al lado de la tapia del cementerio. Tere le pasó la mano por la cara: «No sabes lo que te agradezco que te estés preocupando tanto por mí, tío, otro hubiera dicho, anda y que la den por culo». Molina corrió el asiento para atrás, «Mira, mira, cómo me pones sólo de mirarme», y le empujó suavemente la cabeza hacia la polla.

La segunda vez que se vieron fue en el híper, Molina la citó allí porque finalmente se había arreglado lo de la indemnización y tenía que ir a firmar unos papeles. Él le dijo, pásate a eso de las nueve y media, así no te encontrarás con nadie. Firmó y luego fueron al cuarto de las ratas por última vez. Después de aquel encuentro, que fue como una celebración, Tere no volvió a encontrar ningún motivo para volver a verlo. Él llamó, llamó bastantes veces, pero ella le puso excusas muy poco meditadas, justificaciones de alguien que no anda muy preocupado por quedar bien, que tampoco desea quedar mal, simplemente que ya tiene la cabeza en otra cosa. Y cuanto más llamaba él y más insistente se ponía más distancia y más frialdad sentía ella, incluso cuando él se irritaba y le decía cosas que pretendían ser muy ofensivas —te has portado como una puta, sacas lo que quieres y luego puerta, igual que una puta— no llegó a alterarse, como si no quisiera desperdiciar su energía en algo que ya no le importaba en absoluto. Había que ser muy gilipollas para pensar que iba a estar dispuesta a verse con él en su casa a la hora de la comida, a cuento de qué. Por Asun supo que a Pepi Hierro le dieron el puesto —su puesto—, entre otras cosas, para que se callara y no fuera contando por ahí los motivos de la pelea. Pero qué le importaba ya todo eso. Asunto terminado.

Era fácil para ella olvidar, al fin y al cabo había acostumbrado a su memoria a fabricar pequeñas cajas negras a las que no era fácil acceder y sobre las que iba tejiendo una capa exterior de mentiras que contaba a los demás pero que, sobre todo, le servían a ella misma para no hacerse preguntas. Era muy sencillo andarle a Fabiola con que en realidad la habían echado porque la tal Pepi, que además de envidiosa era puta, se había liado con el jefe y hasta que no había conseguido levantarle el puesto para quedárselo ella no había parado. Esa mentira servía también para Jose, y para ella misma con el tiempo. Servía, sobre todo, para Asun. Era una costumbre antigua, arraigada, esa de vivir las cosas de una manera y contarlas de otra, crear dos realidades paralelas, dos historias que son iguales en todos esos pequeños detalles en los que uno se puede detener, pero de las que se omite la gran diferencia. Verdades a medias. Había otra, la que se refería a la amistad con Asun. Asun, la gran amiga, la única que le había sido fiel después del despido, la compañera de clase en la Escuela de Adultos. Fabiola la adoraba. De hecho parecía que ya no había celebración familiar en la que no estuviera el Pispajo. El mote se lo había puesto Tere, porque era muy delgadilla, medio enclenque, llevaba el pelo cortado casi al cero, color platino y siempre iba vestida de chaval, pero no sólo estaba contenido en ese mote su físico diminuto y nervioso, también su aire de permanente indefensión provocado por los ojos tan redondos, tan infantiles, o por esos andares con vaivén, como de alguien que no ha aprendido a andar como las personas mayores, o simplemente, la alegría que expresaba cada vez que era invitada, incluida en la mesa familiar. Todo era verdad, la gran amistad, ese cariño inmenso que Tere sentía hacia su amiga, el sentimiento de protección que se despertaba en ella en cuanto la veía, era verdad que Tere, una vez que salían las dos de las clases nocturnas, le preguntaba, ¿y esta noche con quién vas a cenar?; y ella le contestaba casi todos los días que sola, a no ser que se fuera con sus padres al bar a sentarse debajo de la tele y ayudarles a recoger. Pues ya sabes, le decía Tere, vente conmigo. Era verdad que entre las dos preparaban la cena, algo sencillo, rápido, abundante, porque las dos comían mucho: «Comemos igual, tía —decía Asun—, y mira tú qué grande eres y yo qué chica, dónde estará el misterio. En los genes, estará». Pero había algo de todo aquello que ocultaba, algo que no añadía a todas esas verdades y que era lo fundamental: Asun se quedaba a dormir muchas noches, pero no sólo a dormir, claro. Ninguna de las dos dio nombre a esa relación, y lo que no se nombra no existe. No se dijo echar un polvo, ni relación sexual, ni hacer el amor, ni desear, ni correrse, nada. No había palabras ni durante ni después. No es que fuera un juego de niñas, al contrario, estaba lleno de procacidad y de guarrería, pero ninguna de las dos quiso verbalizar este secreto y así era todo más fácil. La adopción de Asun por parte de las dos hermanas era más fácil.

Y además estaba Jose, que se había colado en su vida de la forma más tonta, arreglándole el termo, la cisterna, quitándole a la casa ese olor a gas que siempre tenía cuando uno se duchaba, montándole un mueble en la cocina, pintándole la habitación. No me arregles tanto la casa, le decía ella, que, en realidad, a quien estás beneficiando es a la cabrona de la dueña, porque yo no me voy a quedar aquí, yo quiero tener una casa propia, una casa donde yo diga, esto es mío de aquí hasta que me muera, una casa con todas las ventanas a la calle, que entre luz por todas partes, y no el patio este, que tengo que oler la coliflor que hace la de abajo y se me pega el tufo a la ropa tendida, un piso cerca de mi hermana, en Las Rosas, yo quiero vivir en Las Rosas, allí todo son pisos nuevos, aceras nuevas, comercios nuevos, no como aquí, que está todo viejo, desde los vecinos hasta los peldaños de la escalera, tendrías que ver cómo son los parques de Las Rosas, los árboles aún son muy pequeños, entiendes, porque los acaban de poner, pero eso dentro de dos años está como un vergel, además, a mí los árboles tampoco te creas que me gustan tanto, vaya, me gustan, pero que no los veo imprescindibles, ya me harté de ver árboles cuando era pequeña, yo lo que quiero es que mi piso sea nuevo, nuevo, que no lo haya estrenado nadie, como era el de mi hermana, con sus azulejos blancos en la cocina y una cenefa de frutillas que le pusieron, y el wáter que venga directamente del almacén, que yo sea la primera en sentarme, que mi culo sea el primero, eso es lo que yo quiero, y con esas vistas que no te cabe el cielo por la ventana, a lo mejor te digo que vengas un día a casa de mi hermana para que veas las vistas, te asomas a la terraza y alcanzas a ver hasta Vicálvaro, y todo el cielo para ti, allí no dirás que tienes un edificio que te tapa la luz, no, allí miras al campo, no es un campo muy bonito, vale, pero yo ya tuve campo suficiente, entiendes, a mí el campo no me dice nada, a mí el piso, no es que yo pida uno que tenga tres cuartos como el que tiene mi hermana, porque claro, ella son cuatro, pero con que tenga dos habitaciones, a mí ya me basta y me sobra.

Deja que pase un año y medio y yo te compro el piso, nena, ya verás, le decía Jose, pero antes, antes a lo mejor podíamos arreglarnos con este tuyo. Ah, no, no, Tere lo tenía muy claro, si uno empieza una vida en un piso viejo, en ese piso te quedas años, en ese piso tienes hijos y como te descuides en ese piso te haces viejo, de ninguna manera, yo no quiero casarme para estar en esta casa, yo me espero, me espero, si no hay prisa. Tú no tendrás prisa, pero yo sí, le decía Jose, más torvo que nunca, mohíno. Pues si tienes prisa, apúrate a ganar dinero, pero que se te quite de la cabeza que yo empezaré una vida contigo aquí, pero si todavía huele el wáter a mi cuñado, ¿no te das cuenta?, todavía parece que lo estoy viendo sentado en el sofá con la bandeja de la comida encima de las piernas mirando la tele, venga a darse con la cuchara llena de garbanzos en un lado de la boca, como si no fuera capaz de hacer dos cosas a la vez, ver la tele y comerse unos garbanzos. Siempre que miro a ese rincón parece que lo estoy viendo, así que correríamos el peligro de que cuando te viera a ti me diera el barrunto de que lo estaba viendo a él y te cogiera al mismo tiempo la misma manía. Yo no me caso para venirme aquí y acto seguido tender la ropa en el dichoso patio y tener que vestirme hasta que me muera con el tufo de la comida asquerosa de la de abajo, eso no es para mí. Yo me espero.

Ya está aquí. Ha llamado al telefonillo. No la avisó de que no hay ascensor, pero bueno, qué más da decírselo o no, eso no cambia el que tenga que subir los cuatro pisos andando. Abre la puerta. Ya la oye, debe ir por el segundo. Ahora por el tercero. Está jadeando.

—¿La..., la ayudo? —se asoma por el hueco de la escalera y la ve cargadísima de bolsas que van rozando las paredes mientras sube.

Eulalia se para y mira hacia arriba. No hace ningún esfuerzo por sonreír, quiere dejar bien claro desde el principio que está en contra de haber venido, que esta visita le ha desbaratado la tarde.

—Pues sí..., ayúdame, anda.

Tere baja corriendo hasta el tercero. Carga con todas las bolsas.

—Se me olvidó decirle que no había ascensor.

—No importa, me he dado cuenta enseguida.

Están subiendo el último tramo de escaleras. Tere delante, cargada con seis bolsas. Eulalia detrás. De pronto un golpe de viento comienza a cerrar lentamente la puerta abierta del piso. Tere echa a correr, sube los peldaños de dos en dos, se tropieza, cae sin soltar las bolsas. Las dos se quedan mirando hacia la puerta, que se cierra con un gran portazo. Dios mío, Dios mío, murmura Tere mientras se levanta.

—¿Te has hecho daño?

—No, bueno, un poco, pero no es eso..., es que no tengo llaves.

—Mira, pues si no te importa —le dice Eulalia con el tono de quien ha perdido la paciencia—, nos vamos al bar de abajo y allí charlamos...

—¡No! —grita Tere bruscamente, interrumpiéndola. Luego, rectifica, suaviza la voz, se disculpa—. Es que prefiero que hablemos dentro, tenemos que hablar dentro. Espere un momento en la puerta, voy a casa de la vecina. Es sólo un momento.

Deja las bolsas en el suelo, al lado de la puerta de su casa y sube al piso de arriba. La vecina asoma la cara.

—Ah, Tere, me vienes estupendamente...

—Mira, me puedes dar mis llaves, se me ha cerrado la puerta y me ha dejado fuera.

—Pasa...

La vecina abre la puerta. Está con el abrigo puesto y el paraguas en la mano. Se pone a rebuscar por los cajones de la cocina. Una niña de unos seis años, su hija, está sentada en un taburete, también con el abrigo puesto, muy arregladita, con una cola de caballo tirante. En los brazos tiene una muñeca, la está acunando.

—Me voy contigo, Tere —dice la niña.

—No, cariño, no puedo, otro día.

—¿A que vamos a casa de Tere? —le pregunta la niña a la muñeca, y luego le acerca el oído a la boca—. Dice que sí.

—Ay, sí, quédate con ella siquiera diez minutos, lo que tardo en bajar al súper.

—No puedo, Lupe, de verdad, ahora no puedo.

—¡Mujer, cinco minutos, hay que ver cómo eres! Sólo bajar y subir, pero no me hagas bajar con la niña porque con ella tardo tres horas y no me apaño. Toma, las llaves.

—Mira que... —coge las llaves—. Bajar y subir, tú lo has dicho. No te retrases, por Dios, que tengo cosas que hacer.

La vecina sale corriendo escaleras abajo. Pasa por delante de la puerta de Tere, se queda mirando a Eulalia con descaro, la saluda mientras hace un frenético recorrido visual por las bolsas, los zapatos, el abrigo, el pañuelo, el rostro. Tere baja con la niña más despacio. La criatura va apoyándose con la mano en la pared, intentando pisar un escalón con un pie y avanzar con el otro hasta el siguiente.

—Que me tengo que quedar con la niña, pero son diez minutos sólo, es que su madre me hace muchos favores y, claro, no le puedo decir que no.

—Si a mí no me importa. Vamos rápido, no tengo toda la tarde.

Tere abre la puerta y la primera que se cuela dentro de la casa es la niña. Se mueve por la salita con aire de confianza, como si fuera algo habitual que ella se encontrara ahí. Tere la toma de la mano y la lleva a la estantería.

—Te dejo que los toques, ¿me oyes? —le dice señalándole los animales—. Pero no andes moviéndote por ahí que tengo que hablar con esta señora y me pones nerviosa, ¿vale?

—¿Los toco, todos los que yo quiera?

—Sí.

—Pero si no quiero, ¿no los toco?

—Lo que quieras —dice ya más enérgicamente Tere—, pero sin moverte de aquí.

—¿De esta raya de la alfombra? —la niña le busca las vueltas, pero tal vez no sea por impertinencia, como cree Eulalia, sino porque está acostumbrada a jugar con Tere.

Eulalia se ha sentado en el sofá y ha encendido un cigarrillo. Tere mira a un lado y a otro, como buscando algo, probablemente el lugar más adecuado para iniciar la conversación. Eulalia le hace un gesto para que se siente a su lado, y Tere la obedece, cohibida, extraña en su propia casa.

—Es que... no sé cómo empezar.

—Por el principio, por el final, por donde quieras, pero rápido.

—Rápido... Es que decirlo así, rápido..., es difícil.

—Vamos a ver, supongo que no me has llamado para pasar la tarde contigo, ¿no? —Tere le contesta que no con la cabeza, mirando al suelo—. Y supongo que te darás cuenta del trastorno que me estás ocasionando..., ¿te das cuenta?

—Sí que me doy cuenta, sí.

—Te voy a ser sincera, he venido preocupada. A mí este tipo de misterios no me gustan, es más, te diré que he estado a punto de venir acompañada.

—No, es mucho mejor que haya venido sola. Esto es algo que sólo podemos hablar usted y yo.

—Pues hablemos —Eulalia hace un gesto con las manos, como invitándola a que se explique. Le ofrece un cigarrillo—. ¿Quieres?

—No, tengo yo mi paquete... ¿Quiere tomar algo? Digo por hacer tiempo hasta que venga mi vecina a por la niña. Es que no son cosas que se puedan hablar delante de la cría.

—Los búhos son nuevos —la niña está fascinada con los animales, los toma en sus manos, los observa, los vuelve a dejar con cuidado, como si se tratara de un tesoro al que no siempre tiene acceso.

—No puedo esperarme, de verdad, empieza, dilo como quieras, pero ya, porque si no me voy, es que me voy —dice Eulalia y se cuelga el bolso al hombro.

—Eulalia... —Tere traga saliva y cierra los ojos. No quiere ver lo que se le viene encima. Habla bajito, y el hecho de que estén sentadas las dos en el sofá y la conversación empiece a producirse en susurros le da un aire de sala de espera—, su, su marido ha estado engañándola.

—¿Mi marido? —Eulalia comienza a reírse pero la risa se le quiebra enseguida—, pero ¿qué dices?, ¿tú qué sabes?

—Lo sé, lo sé..., claro que lo sé.

—Pero ¿es que tú lo has visto, lo has visto con tus propios ojos?

—Sí, con mis propios ojos.

—¿En dónde? —ahora la que traga saliva es Eulalia, le duele profundamente verse en esa situación de debilidad delante de la chacha.

—¿En dónde? Pues..., aquí.

—¿Aquí? —pregunta Eulalia, abriendo mucho los ojos.

—Sí, aquí.

—Aquí..., pero entonces... ¿Es, es contigo con quien...?

—Pues sí —le dice tan bajo que casi no puede escucharla—, es conmigo.

—Ay, Dios mío... Y me lo dices justo esta tarde —Eulalia siente cómo se le empapa la blusa, es el sudor de siempre, el que nace del vientre y se extiende hasta el cuello, el sudor de la angustia.

La niña se acerca hasta ellas, lleva un búho en la mano, se lo enseña a Tere: «¿Son nuevos los búhos? ¿A que son nuevos, Tere?». Y Tere agarra a la niña de la mano, empleando más brusquedad que antes. «¡Te he dicho que no te muevas!, te lo he dicho, ¿no? ¡Pues arreando a tu sitio!» La niña mira al suelo, parece que está a punto de echarse a llorar, no entiende que se la trate así. Tere se levanta y va a la cocina. Vuelve con una tableta de chocolate, «Toma, ¿la quieres, verdad?, pues vete donde la estantería y no te muevas, cómetela entera, pero no te muevas». La niña coge la tableta sin dejar de mirar al suelo.

—Pero eres... —la voz de Eulalia es baja pero está llena de ira y de asombro—, eres una puta.

—No la digas eso —dice la niña—, no se dice pu...

—¡A ti no te importa lo que me diga esta señora! ¡Te he dicho que te pongas a jugar y que te comas el chocolate!

La niña se va y se queda de pie, apoyada en la estantería, sin jugar, comiéndose el chocolate. En el silencio espeso que se ha creado se oye su vocecilla, empecinada, fiel a sus leyes infantiles: «No se dice pu, no se dice».

—Y te esperas para decírmelo hasta hoy..., eres mala. Eres puta y mala.

—Las cosas vienen como vienen —Tere parece resignada a escuchar los insultos, probablemente los imaginó durante toda la espera. Intenta aparentar un carácter manso.

—Y dime —pregunta Eulalia desafiante—, ¿puedo saber desde cuándo? ¿Desde siempre, desde que llegaste?

—No, desde siempre, no, desde hace sólo tres meses.

—¿Sólo tres meses, es que te parece poco, es que te hubiera gustado que fuera más tiempo?

—No, si a mí nunca se me había pasado por la cabeza.

—Entonces, ¿a quién se le pasó por la cabeza, a él?

—Pues sí, no es por quitarme yo culpa, pero la idea fue suya.

—Menudo cerdo, y no tenía otra... —busca una palabra que ofenda aún más a la mujer que se ha acostado con su marido, una palabra que haga daño, tanto como las uñas que ahora mismo desearía clavarle en la cara, pero no encuentra otra y vuelve a susurrar para pronunciarla—: ... puta que tirarse que la que tenía yo trabajando en mi casa. Es que es humillante.

La niña está callada y pendiente de toda la conversación, levanta ahora los ojos otra vez, mira a Eulalia fijamente, le da a entender que es consciente de que ha vuelto a repetir la palabra prohibida.

—¿Lo habéis hecho alguna vez en mi casa?

—No, en su casa nunca, eso sí que no.

—¿Y cómo empezó la cosa?

—Es que..., yo creo que si entramos en detalles va a ser peor para usted.

—Pero tú qué quieres, ¿tirarte a mi marido y quedar como una santa? ¿Es que vas a decidir tú ahora lo que me tienes o no me tienes que contar?

—Fue un día, hace tres meses o así, uno de los martes que usted no está en casa. El señor me dijo que si le podía servir la comida un poco más tarde en su despacho, porque a él no le gusta comer con doña Leonor a solas, y entonces yo le dije que vale, pero que no me podía quedar a recogerle la bandeja porque si me quedo no llego a mi clase, y él me preguntó, ¿a qué clase?, y entonces le conté que estaba haciendo la ESO, y entonces me empezó a preguntar por lo de la ESO, por si me gustaba estudiar y por los deberes y tal, y me dijo de pronto, yo te acerco, y yo le dije que no, que no se preocupara, que estaba acostumbrada a salir corriendo, pero él insistió, y... así fue.

—Así fue ¿qué?

—Pues que me llevó en el coche hasta Ventas, que es donde yo tengo el centro, y preguntó, ¿cuánto tiempo vas a estar? Yo le dije, hoy dos horas. De qué me iba a imaginar yo que cuando saliera iba a estar él allí, de pie, apoyado en el coche. Vamos, que fue una sorpresa. Me dijo: ya ves, me he tomado algo y se me ha ido el tiempo volando, te llevo a casa. Me trajo hasta aquí, me empezó a preguntar sobre mi casa, y sobre mi hermana, y sobre el tiempo que llevaba en Madrid, y como el tiempo pasaba y estábamos los dos en el coche, pues yo le dije, por buena educación, claro, que si quería subir; pero nunca pensé que fuera a subir. Si le dije que subiera fue porque me sentía incómoda tanto tiempo en el coche con él, en un sitio tan pequeño.

—Y fue subir y poneros a echar un polvo, ¿no? —ante el silencio de Tere, Eulalia pierde los nervios, se vuelve agresiva—, ¿echasteis un polvo?

—Más o menos.

—¿Y qué tal?

—Pues qué quiere que le diga.

—Quiero que me digas que si te gustó.

—Más o menos. Es que el señor esa tarde estaba muy nervioso y no... —intenta hacer un gesto con la mano que exprese lo que no sabe expresar con palabras, pero aunque la mano se queda a medias, Eulalia lo entiende todo.

—Qué hijo de puta —Eulalia habla para ella, no es consciente de que piensa en voz alta, no es consciente de que la están escuchando, es su pensamiento que le viene a la boca sin que ella pueda controlarlo—. Pero de qué va a poder él echar nada, ni un polvo ni nada, no son más que fantasías de viejo verde, delirios, qué ridículo, subiendo a esta casa, será imbécil, tendría que reírme, tendría que reírme si no fuera porque es vomitivo...

—Ni se dice pu ni se dice hijo de pu —dice la niña sin dejar de jugar con los animales y de comer chocolate. Llaman a la puerta y se levanta corriendo para abrir. Es su madre, cargadísima de bolsas.

—Gracias, Tere —dice queriendo entrar, observando desde el umbral a la mujer desconocida que hay sentada en el sofá—. Buenas tardes.

Eulalia le contesta haciendo un ademán rápido, desconsiderado, con la cabeza. La niña se le acerca, parece que va a darle un beso, pero no, le dice al oído para que sólo ella pueda oírla: «Sonia Pancorvo Sánchez dice que la que insulta y dice pu es porque es pu». Eulalia se imagina que le da un tortazo en la cabeza, que le tira del pelo, y siente un alivio tremendo cuando la cría corre junto a su madre.

—Trae el chocolate —le dice su madre quitándoselo de la mano—, anda que qué ideas, Tere, darle a la niña una tableta entera.

Una vez que está cerrada la puerta se oye a la niña desde el otro lado llorar con todas sus fuerzas.

—Dame un vaso de agua —pide Eulalia autoritaria, hablando ahora a un volumen normal—. Bueno, ya podemos hablar.

Mientras Tere va a la cocina Eulalia pasea la vista por vez primera por el salón. Reconoce algunas cosas que le dio a Tere en su momento, un horroroso escudo de cerámica que le regalaron a Samuel, una foto de Samuel saludando al Rey, qué año, 1992..., en Sevilla, Samuel saludando a la Reina en una recepción, y ella misma, tendiéndole la mano, iniciando una reverencia ridícula, Samuel y Eulalia con el alcalde inaugurando una ludoteca con el nombre del escritor en Alcorcón... Allí están todos los desechos, todas esas fotos en las que uno desea no verse. Pasaron mucho tiempo guardadas en el trastero, el Premio Nacional, las placas de plata que conmemoran un Día del Libro en la universidad, la medalla de Madrid, una alfombra tejida por unas lectoras de una Escuela de Adultos. Detrás de cada trofeo, hubo una noche, una cena, una recepción y casi siempre un cheque. Samuel le decía muchas veces: tira toda esa porquería, mujer, tírala antes de que lo cuelgue tu madre o lo enseñe a las visitas. Y un buen día le hizo caso y decidió tirarlo a la basura. Tere le preguntó, como de pasada, como si realmente no le interesara mucho ni la pregunta ni la respuesta: «Si algo me gusta, ¿me lo puedo llevar?». Pues claro, mujer, le dijo ella. Ahora observa las paredes con estupor, ahí están ellos, creyéndose tan ajenos a la vida de la chacha y, sin embargo, presentes, a diario en su intimidad. De pronto, Eulalia tiene una sensación extraña, como si hubiera sido observada desde hace mucho tiempo, desde el día en que la muchacha entró a trabajar en su casa de la manera más inopinada hace tres años.

—El agua —dice Tere dándole el vaso sobre un plato y una servilletita primorosamente planchada. Tal y como le enseñó Eulalia que debía servir el agua.

—Así que tres meses...

—Más o menos.

—¿Quieres que me crea que no lo habéis hecho en mi cama cuando mi madre y yo hemos estado fuera?

—Eso ya le digo que se lo juro que no.

Fue hace dos meses, sí, Eulalia llevaba a la vieja a la playa con esa hija mayor que parece otra abuela. El señor y ella solos deambulando por la casa, aparentando al principio que no iba a pasar nada, pero dejándose llevar por lo inevitable. El señor pidiéndole una toalla al salir de la ducha para secarse. Ella frotándole la espalda ante el espejo, sin que él se lo pida, movida por una especie de sumisión familiar. Él siempre era dulce, lo era, le acariciaba la nuca con las manos mientras ella le trabajaba, le chupaba. «Mírate, mírate al espejo —le decía él—, ¿no te gusta verte?»; «¿Para qué quiero ver lo que yo misma estoy haciendo?» El señor se reía, «Porque cuando te miras es como si estuvieras viendo a otra mujer que está haciendo algo que puede excitarte y al mismo tiempo sabes que eres tú; yo veo a un hombre viejo sentado en un taburete del baño, con el albornoz abierto, y una mujer joven y guapa haciéndole una mamada. Como esas veces en que estaba viendo una película y podía sentir cómo se me empezaba a poner dura pero todo se me venía abajo, no te rías, no seas mala, todo se me venía abajo, me ponía melancólico. Cuando eres viejo sientes la melancolía de no empalmar cuando quieres. Pero lo bueno de mirar al espejo es que veo lo que estamos haciendo nosotros, lo que me haces tú, mala, mala, siento tu boca, te veo hacérmelo, veo a esos dos en el espejo y me digo, esta vez no tengo que sentir envidia porque soy yo, soy yo. No me entiendes y te ríes. Hasta me gusta que no me entiendas. Sí, me gusta que no me entiendas».

—Bueno, qué importa, qué coño importa —dice Eulalia. Se enciende otro cigarro y lo coloca en el cenicero, al lado del que ya tenía encendido—. ¿Ahora, qué hago, dime, qué hago? Porque a mi casa tú no vuelves a entrar. Tengo quince personas a cenar. Casi mejor, mejor, prefiero que me lo hayas dicho porque de esto, más tarde o más temprano, me iba a enterar, y te digo que me hubiera sentido muy ridícula, ¿sabes? Lo prefiero aunque hayas tenido la mala hostia de esperarte hasta esta tarde. No podía ser ayer, ni mañana, tenía que ser esta tarde.

—Mala hostia, no, es que no me quedaba otra salida. Yo, por mí, ya se lo hubiera dicho otro día.

—Mejor así —dice Eulalia sin escucharla— que sentirme ridícula a posteriori, recordándote a ti sirviendo la cena a todos estos que no veas cómo se divertirían si supieran la historia. Que no la van a saber, no la van a saber, de eso me encargo yo. Pues no es mala la gente. Ya te mandaré a alguien para todo el papeleo, la liquidación y todo el rollo, pero a ti no te quiero volver a ver el pelo. Y a mi marido ni te acerques porque antes te mato. Tú a mí no me conoces, tú a mí sólo me has conocido de buenas, pero puesta a ser mala, soy la más mala. Escúchame una cosa y que no se te olvide: para ti, mi marido se ha muerto. ¿Me has oído?

—Sí —dice Tere, y empieza a llorar, silenciosamente, sin gemir, pero con muchas lágrimas, limpiándoselas con el dorso de la mano, con un gesto tan infantil que resulta inquietante, como si hubiera un cierto retraso mental—, se ha muerto.

—Perdona, pero soy yo, soy yo la que tendría que llorar. Esas lágrimas guárdatelas, están de más. ¿Has entendido bien lo que he querido decirte?

—Se ha muerto, señora, se ha muerto.

Tere se levanta. Para qué esperar más, piensa, para qué dar más rodeos. Qué puede pasar, que se vuelva loca y se le tire al cuello. Que se vuelva loca y empiece a gritar y la vecina pase y se entere de lo que ha ocurrido allí esa misma tarde, del olor que todavía lleva pegado a su piel y que no ha conseguido quitarse ni con la ducha. Todo huele a él, ¿cómo es que ella no se dio cuenta cuando entró? Cada hombre deja un olor, cada uno tiene su olor. Jose, el suyo, a sudor basto cuando llega los viernes. Un rastro que ella intenta borrar abriendo las ventanas mientras él se ducha. Ella le hace ducharse. ¿Te da asco cómo huelo?, le pregunta. El ambiente huele ahora, aún, a viejo limpio y perfumado. Y a chocolate, al chocolate que a él tanto le gustaba y que le preparó esa misma tarde, como todos los jueves desde hace tres meses. La cacerola donde lo hizo sigue en la cocina. Ahí está, llena, esperando. Y la bandeja preparada con las dos tazas, las que la señora le regaló por su cumpleaños, no es que la señora se las comprara ex profeso, no, las tenía desde hacía tiempo empaquetadas, muertas de risa, uno de tantos regalos que reciben. Qué es lo que tendrán para que la señora no quisiera quedárselas. Todo listo, las dos tazas, las pastas que traía el señor y la jarra para echar el chocolate. Dulce, mucho dulce, todo lo que en casa de la jefa está prohibido, por el señor, por la vieja, y por Eulalia, que está echando culo. ¿Por qué viene, le preguntaba Tere al señor, por el chocolate o por mí? El señor se reía. Nunca nadie se ha reído tanto con ella. «Por el chocolate, claro.» Lo tomarían como siempre, en la habitación. Ella sentada, sujetando en el regazo la bandeja, poniendo la servilleta sobre el pecho de él, colocándole varios cojines encima de la almohada para que estuviera cómodo. Y luego le llevaría los cuadernos, con los deberes. A él le encantaba que le leyera las redacciones. «Un día cualquiera» le gustó mucho. Era la de fin de trimestre. Le pusieron un seis, por las faltas de ortografía, pero decía el señor, ponen un seis porque no saben, Tere, porque no saben.

Un día cualquiera. Me gusta ir en metro por la mañana temprano. Hay gente a la que no le gusta, pero a mí sí. Ahora mismo, puedo decir que me sé el plano del metro mejor que la palma de mi mano. Hay barrios que no he visto nunca y sin embargo he pasado mil veces por debajo. Tardo una hora en llegar al trabajo, hay gente a la que se le hace largo el trayecto, a mí no. Hay gente que va leyendo el periódico o un libro pero a mí me gusta ir mirando las caras de los que tengo enfrente. Hay gente que pensaría que mi trabajo es aburrido pero a mí me gusta. Limpio en una casa. Sólo hay tres personas, el señor, que es un escritor famoso, la señora, que también es famosa por ser la mujer del escritor y porque a veces sale por la radio o escribe algún artículo sobre mujeres y otros temas, y la madre de la señora, que es una vieja bastante rara, a mi parecer. Por las mañanas limpio la casa, y procuro no hacer ruido porque la señora dice que el señor está escribiendo. No siempre está escribiendo, a veces está mirando por la ventana y así pasa mucho rato. El señor no es joven, casi es tan viejo como su suegra, pero no habla como un viejo, tampoco como un joven. A veces es tan serio y te mira tan fijamente que otra tendría miedo, pero yo no. A la una pongo la comida. Al principio todo lo decidía la señora pero ahora puedo decir que la casa está en mis manos. Yo sé lo que tengo que hacer para cada uno y las manías y las enfermedades de cada uno. La señora me dijo un día que la casa no funcionaría si no fuera por mí. Me lo dijo un domingo que se estropeó la caldera y me pidió que fuera desde mi barrio (San Blas) hasta el suyo (Alfonso XII) y fui y en un momento la dejé lista, funcionando. Luego ya no me lo ha vuelto a decir, pero no me hace falta que me regale el oído porque yo lo sé.

Después de comer, recojo, y luego, juego con la madre de la señora a las cartas. La madre de la señora no puede vivir sin que yo juegue todos los días con ella. Yo no sabía jugar más que a la brisca, pero la madre de la señora me ha enseñado a jugar al póker, al mus, y ahora estamos con el bridge. Un día, la madre de la señora me dijo que los juegos eran más emocionantes si uno se jugaba algo de dinero, una cantidad simbólica. Pero la señora entró y vio la cantidad simbólica encima de la mesa (pusimos dos euros cada una) y se lo tomó fatal. La señora nos deja seguir jugándonos el dinero a condición de que mi dinero me lo ponga la madre de la señora. O sea, que si pierdo, no pierdo nada, sin embargo, si gano, me lo quedo. Ése es el trato. Aunque sólo he ganado dos veces. Cuando pierde, la madre de la señora se pone hipertensa y dice cosas horribles como que hago trampas, y que preferiría que me llevara las sortijas como todas las marmotas a que le haga trampas. Otra se hubiera largado pero a mí no me importa, primero, porque con el tiempo le he cogido el gusto a jugar, segundo, por humanidad, porque si no juego yo con ella, quién va a hacerlo, y tercero, porque me encanta ganar. Con esto quiero decir que soy imprescindible. Después de jugar, preparo algo de cena, y me vengo en metro a clase. Quiero sacarme el graduado y luego hacer secretariado. No es que tenga prisa por dejar de limpiar. No me importa seguir limpiando, pero me gustaría ordenarle los papeles a mi jefe y tomarle nota de las citas, como hace la jefa. Por lo que yo veo no es tan difícil. Como dice mi compañera Asun, seré una empleada multiusos. De clase a casa me vuelvo a coger el metro. Otra estaría rendida, pero yo no. Yo invito a mi compañera Asun a cenar a casa muchas veces, hago unos huevos fritos con papas y vemos la tele mientras hacemos los deberes.

El otro día le pedí aumento de sueldo a mi jefa y lo hice por escrito, por carta. Me encanta escribir. Me corrigió las faltas Eduardo, el profesor de Lengua. La señora leyó la carta y me miró, me dijo que esas cosas se decían de palabra, no por escrito. Pero le debió impresionar porque me ha subido setenta y cinco euros. Y así es un día cualquiera en mi vida.

Tere abre la puerta del único dormitorio y hace una señal que al principio Eulalia no entiende o no quiere entender. Se ha levantado del sofá pero está tan parada que Tere tiene que acercarse y tomarla del brazo. Eulalia lo retira, no quiere ningún contacto físico con ella: «No me toques», murmura, pero empieza a ser consciente y se acerca hasta la puerta. Se queda en el umbral, muerta de miedo ahora. Tiene que acostumbrar la mirada a la oscuridad de la habitación aunque la última claridad de la tarde y las primeras luces eléctricas de otros cuartos que dan al patio interior iluminan tenuemente la escena. La escena. No la comprende. Sus ojos recorren varias veces los perfiles de las cosas como si su mente tuviera que descifrar un jeroglífico: los visillos se mueven ligeramente porque la ventana está abierta y el olor de la lluvia reciente inunda el cuarto. Hay un hombre en la cama, está tapado hasta el cuello con un edredón de flores. ¿Qué es esto?, dice Eulalia y se vuelve hacia Tere, ¿qué es esto? Tere se encoge de hombros, como niña pillada en falta.

—¿Qué le has hecho? —las manos de Eulalia aprietan y sacuden los hombros de la mujer que aparta los ojos llevando la cabeza de un lado a otro, como si en la mirada llevara una verdad que no quiere que se descubra—. ¿Qué le has hecho, dime?

—Yo no le he hecho nada, no sé qué ha pasado.

—A lo mejor no está muerto, ¿estás segura de que está muerto?

—Sí... —dice Eulalia mirando al suelo—, le puse un espejo en la boca y no lo empañó, y hace rato que se quedó... Está helado. Si quiere, doy la luz...

—¡No! No des la luz, no se te ocurra dar la luz.

Eulalia se acerca hasta el muerto, despacio, con miedo y con escrúpulo levanta el edredón y la sábana. El hombre que fue su marido, ese hombre al que esta misma mañana besó ritualmente en los labios cuando se levantó, tiene el torso desnudo. Los brazos que antes fueron musculosos y que fueron perdiendo masa están colocados encima del pecho. Le toca la frente con los dedos. Tiene una frialdad metálica. Vuelve a cubrirle pero una ondulación de la colcha la lleva ahora a destaparle de nuevo lentamente. El cuerpo desnudo muestra la prueba de su último vergonzoso deseo. El que no tenía con ella desde hacía meses, más, más de un año.

—Se murió mientras lo hacíais —dice Eulalia, esta vez no pregunta, está segura. Busca a Tere pero ha salido de la habitación. Va a buscarla, está de cara a la pared, con las manos tapándose la boca. La coge del pelo de la nuca—. ¿Qué coño haces ahí? Ven y entra conmigo.

Pero Tere se revuelve, se zafa de las garras de la mujer, se tira en el sofá, se abraza a un cojín buscando protección.

—No, no quiero volver a entrar. No voy a volver a entrar. Yo no tengo la culpa de nada.

—¿No tienes la culpa, zorra? ¿Qué crees que pasa cuando una se acuesta con un viejo de ochenta años que está enfermo del corazón?

—Yo de qué me iba a imaginar... —la voz de Tere está amortiguada por el cojín contra el que se protege el rostro.

—¿Cuántos años tienes?

—Casi treinta. Veintisiete.

—¿Y qué busca una mujer de veintisiete años en un hombre de ochenta, dime? No me dirás que te follaba como nadie. ¿Y tu novio, es que no te folla? Di, ¿no te folla tu novio?

—Sí.

—Y entonces, ¿qué buscabas en mi marido?

—Hablábamos.

—¿Hablabais?

—Sí, hablábamos.

—¿Cuando se murió estabais hablando? ¿Está empalmado porque cuando se murió estabais hablando?

—En ese momento, no.

—Y ahora tengo que cargarme yo con el muerto —Eulalia se va hacia ella, levanta la mano como para pegarla y se queda con la mano preparada, amenazante. Grita—: ¿Qué hago yo ahora con el muerto, me lo quieres decir?

—No grite, por favor, que las paredes son de papel y nos pueden oír.

—Y a mí qué me importa que nos oigan.

—Sí, sí que le importa —Tere se quita el cojín de la cara—. No querrá usted que la gente se entere de que el señor se ha muerto aquí, conmigo.

Las dos se miran por vez primera en silencio. Tere ha dicho algo tan cierto como terrible. Eulalia traga saliva, se lleva la mano a la frente, y se deja caer en el sillón. No, claro que no quiere que se sepa que su marido ha muerto en un piso de San Blas, en brazos de la criada a la que se tiraba desde hacía tres meses.

—Yo no quiero perjudicarla. Cuando el señor se llevó la mano al pecho, yo pensé en llamar a una ambulancia, lo pensé, y a lo mejor es lo que debería haber hecho...

—¿Estaba encima de ti en ese momento?

—No me parece que eso tenga...

—¿Estaba encima de ti?

—No, estaba yo encima.

—Ya, ¿y qué?

—Se llevó la mano al pecho y empezó a roncar como si quisiera toser y no pudiera. Tendría que haber llamado a la ambulancia. Tendría que haberla llamado, pero pensé...

—¿Y cuánto tardó en morirse?

—Nada, no mucho. Yo le di masajes en el pecho, le metí aire por la boca. No sabía qué hacer.

Se desprendió, como pudo, de las manos del señor que le arañaban los brazos. No sabe por qué pero le echó el agua del vaso que había en la mesilla en la cara, como si así pudiera librarle del ahogo. Los brazos delgados estaban alzados hacia arriba, implorantes, y así siguieron, como si él no fuera consciente de que ella había salido del cuarto y cerrado la puerta. Los ronquidos se fueron haciendo más débiles hasta transformarse en algo parecido a los maullidos de un gato. Ella se tapó los oídos. Estuvo así un buen rato. Cuánto, diez minutos, quince, media hora. Cuando se los destapó, los quejidos habían cesado y sólo se oía el rumor de la lluvia.

—¿Le dejaste morir?

—No, se murió enseguida. Pero podría haber llamado a una ambulancia y entonces qué, entonces la habrían llamado a usted desde el hospital. Lo hice así porque no quiero perjudicarla.

—Entonces, ¿te tengo que dar las gracias?

—No.

—¿Qué buscabas con esto?

—¿Con esto, con qué esto?

—Con acostarte con él —ninguna de las dos pronuncia su nombre, como si ya le hubieran arrebatado la humanidad, como si el hecho de nombrarlo pudiera significar alguna cercanía entre las dos.

—Al señor le gustaba venir aquí, pero no sólo por lo que usted piensa.

—¿Ah, no? ¿Qué era entonces, una amistad intelectual? —Eulalia se ríe, se ríe con crueldad y con rabia.

—No sé lo que quiere decir.

—Claro que lo sabes, cómo no lo vas a saber. No te hagas la tonta.

—Quiere usted decir que yo sólo valgo para que me echen un polvo.

—Un polvo, bueno, algo parecido a un polvo.

—Él hablaba mucho conmigo. Claro que hablaba conmigo. No sé por qué usted piensa que conmigo no se puede hablar. Me hablaba de su vida, me preguntaba por la mía, leía mis cosas y me hacía observaciones.

—¿Tus cosas, qué cosas?

—Las cosas que yo escribo.

—Escribe cosas —Eulalia habla para sí misma o para una tercera persona inexistente, una tercera persona con la que pudiera compartir semejante disparate—, de todas las cosas que he oído esta tarde ésta es la que me parece más patética. Escribe cosas... —señala a Teresa como si la presentara así ante un público.

—Redacciones y también poesía. Me dieron un premio en la escuela. Por una poesía... Él decía que me daba un aire a... —se muerde el labio, mejor no lo dice, se lo guarda, prefiere expresarlo con las palabras exactas de él—. Me dijo que nunca es tarde...

—No sé si él es un cabrón o tú eres tonta. O las dos cosas a la vez. Era, era un cabrón, ahora ya se le ha acabado la juerga. Mira qué final tan apropiado —Eulalia saca el móvil del bolso y marca el teléfono de Jesús Mora—. Hay que hacer algo, para qué hablar más. Jesús, Jesús, ¿me oyes? Sí, estoy bien. Bueno, no, no estoy bien. Escúchame. Quiero que hagas varias cosas. Llama a los invitados de esta noche, diles que la cena no puede celebrarse, que..., diles que Samuel no se encuentra bien. Diles eso, que Samuel no se encuentra bien. No, no estoy de camino a casa, estoy todavía en casa..., en San Blas, estoy todavía aquí. Quiero que vengas, y quiero que te traigas al doctor Brodsky. Samuel está aquí. Está... Se ha muerto, Jesús, se ha muerto, pero no quiero que lo sepa nadie. Sí, un ataque al corazón. No quiero que nadie se entere de esto, ¿entiendes? No, cuando yo llegué ya era demasiado tarde. No sé cómo hacerlo pero preferiría trasladarlo a casa, ¿crees que puedes arreglarlo? Gracias de todo corazón. Aquí te espero. Ah, Jesús, mira, está Leonor en casa, hay que sacarla de allí, no quiero que ande por medio. Bueno, dile sólo que Samuel no se encuentra bien y manda a alguien que la saque de allí. Jesús, no tardes, no tardes, por Dios... Lo estoy pasando muy mal. Ya sé, sé que estás conmigo. Lo sé. No tardes.

—A Lorca, dijo que me daba un aire... —dice Tere, que lleva todo el tiempo pensando en dónde está la nota que él le deslizó en el bolsillo del uniforme una mañana mientras ella limpiaba. La nota es la prueba que ella necesita.

—A Lorca, sí... —ahora habla con el muerto—. Vaya elemento, vaya elemento que estabas hecho, y te vas sin que pueda escupirte en la cara.

Las dos se quedan en silencio. Cada una mirando a un punto distinto de la habitación. Tere, a unos cuadernos que se apilan en la estantería. Busca la nota. Eulalia al dichoso escudo genealógico de su marido: un toro, un árbol, dos lanzas cruzadas, qué querrá decir eso. Es como si se hubiera abierto una tregua después de la llamada. Un comienzo del duelo en el que parecen caber todos los pensamientos de recapitulación de sus vidas menos el dolor por el muerto.

—¿Dónde estábamos? —dice Eulalia, como despertándose.

—A usted le parece imposible que él buscara mi compañía, ¿verdad?

—Te he dicho que sólo creo que viniera aquí por una cosa, por vanidad, por disfrutar de un secreto. Pero es que no vas a entender nada. Hasta un viejo que no puede casi ni echar un polvo tiene la vanidad de ponerle los cuernos a su mujer.

—Sí que podía.

—¿Tanto como tu novio?

—No tanto. Tenía sus dificultades al principio pero luego fue a mejor.

—Tienes ganas de hacerme daño.

—Es que no sé por qué a usted le parece tan difícil que se fijara en mí.

—No, no, todo me parece muy fácil, eres tú quien lo complica con el rollo de la poesía.

—¿Va a venir don Jesús?

—Sí, vendrá dentro de un rato.

—¿Y qué es lo que hay que decirle a don Jesús?

—Tú, nada, tú te callas. Le diré que le encontraste en la calle, que le invitaste a tomar un café y que de pronto se puso a morir. No se lo creerá pero me da igual. Tendremos que sacarlo de aquí y llevarlo a casa.

—El señor también tenía su disculpa, sabía lo de don Jesús.

—¿El qué de don Jesús?

—Lo de don Jesús y usted.

Eulalia es consciente por primera vez de que tiene miedo, tiene miedo de esa mujer que desde hace tiempo ha estado hurgando en su vida. Se da cuenta de que ha estado gritando por puro miedo, por pánico a que todo el control de una vida quede en manos de la mujer mansa, prudente, que aparentaba estar al margen de todas las miserias diarias de su casa, y ahora se rebela como la mejor conocedora de los pasos de sus tres habitantes. Lleva años contándole al doctor Millán la incesante paranoia que le provoca la vida pública, la deseada y acechante vida pública, y nunca había pensado en quien tenía a diario a sus espaldas, de nueve a cinco de la tarde.

—¿Y eso era para él una disculpa?

No sólo no era una disculpa, pensó Eulalia, sino que aún le parecía más perverso. Todos los comentarios humillantes que Samuel había hecho sobre Mora, los chistes tantas veces repetidos, el perro y el amo, la correa, el mejor amigo del hombre, todo el sarcasmo con el que desmenuzaba cada frase de su servidor, las imitaciones en las que se recreaba el tono algo cursi de su voz, su porte tan formal, la manera en que sistemáticamente le daba la razón; esas ocasiones, memorables, en que le hizo asentir, en una misma tarde, a dos teorías contrapuestas, sólo por el goce de verle obedecer como un pelele a su capricho; todo ese juego vengativo del viejo que conserva la mente fresca y rápida como si tuviera cuarenta años pero sufre porque no los tiene, se producía a sabiendas de que el hombre leal y risible se estaba acostando con su mujer, y ahora Eulalia no sabía, de verdad no sabía, si eso aumentaba en su marido el deseo de humillarle, o simplemente, hacía el asunto más divertido, más enrevesado. Puede que hasta observara la cara que ella ponía cuando él se burlaba de su amante. ¿Era una forma de decirle: con este individuo me pones los cuernos, me merezco yo que me pongas los cuernos con este don nadie?

—¿Y eso era para él una disculpa? Como si él necesitara una disculpa. Tú qué sabes cómo era mi marido.

—Sí que lo sé. Claro que lo sé. Ha pasado conmigo todos los jueves desde hace tres meses, los días en que usted se iba con don Jesús, y si podía, también venía algunos martes. Decía: Tere, a mi edad todo se hace lentamente, y tú me das tiempo y no pones pegas.

—Eres una joya, Tere. Ahora, dime, con franqueza, ahora que ya nos da todo igual, a ti y a mí, dime, y no me mientas, por favor, ¿qué querías sacar de todo esto?, ¿es que creías que me iba a dejar a mí para irse contigo?

—No, eso no. Por qué iba a querer yo que se viniera conmigo. Yo no quería eso. Eso es lo que quiso usted, no yo. Usted se fue con él cuando ya era viejo.

—¡No era tan viejo!

—Sí que era viejo. Era viejo y le llevaba a usted más de treinta años, ¿qué quería sacar usted de todo eso, es que nadie le ha hecho a usted nunca esa pregunta? La primera mujer de él, ¿es que no tenía derecho la pobre a hacerle a usted esa pregunta?

—¡La pobre, pero tú quién eres para compadecer a nadie! Ahora resulta que me vas a juzgar tú a mí. Esto sí que es bueno. Mira, no quiero seguir hablando contigo, ¿vale? Ya sé que es difícil en este cuarto tan pequeño pero vamos a intentarlo.

—Sí, es muy pequeño... —la frase, aparentemente vacía de cualquier peligroso significado, sirve para que Tere se acerque aún más a Eulalia, que en su voluntad de sentirse a solas ha girado el torso, dándole casi la espalda—. Aún me queda por decirle una cosa, para mí la más importante.

—¿Más importante que tener a mi marido muerto en tu cuarto? No me lo creo.

—Bueno, igual de importante: estoy embarazada.

Eulalia se da la vuelta y las caras de las dos mujeres se encuentran muy cerca, sintiendo el aliento la una de la otra.

—Dime que no es verdad.

—De dos meses.

—¿No irás a decir ahora que es de mi marido?

—Es del señor, sí, señora.

—¿Y por qué lo sabes?

—Porque esas cosas se saben, y si no me cree, me puedo hacer la prueba del ADN.

—Pero de qué prueba ni qué prueba estás hablando. Tú estás chalada. Tú quieres hundirme, te lo has propuesto.

—El señor lo sabía, se llevó una sorpresa tan grande como usted.

—¿Y qué dijo?...

—Dijo, qué lío más grande, Tere, qué lío, pero también dijo que le daba mucha felicidad saber que había dejado embarazada a una mujer a los ochenta años, dijo que eso le devolvía la vida.

Los hijos de Samuel han sido para Eulalia la amenaza continua de una vida anterior, de la vida anterior que siempre está presente, que no puede romperse. La miraron al principio como a una salteadora de caminos, como a una ladrona, y aun hoy, en la mirada de Gabi, después de que las tensiones se rebajaran y se firmara una paz, más por agotamiento que por cariño sincero, hay un toque de desconfianza. Los hijos han traído noticias de la madre, de las enfermedades de la madre, los achaques de su vejez, que el padre vigilaba con preocupación y ella con recelo, temerosa de que al final de la vida de ella él quisiera cuidarla para no decepcionar a los chicos. Los hijos han sido la prueba permanente de que hubo otra mujer, y que esa mujer, aun refugiándose discretamente en su condición de eterna víctima, estará siempre presente a través de esos dos lazos poderosos que la unen al padre. ¿Por qué no tuvo Eulalia un hijo de él, un hijo que neutralizara ese eslabón tan sólido, por qué no lo tuvo? Hubo un aborto, al principio de todo, en ese breve espacio de tiempo en que él se echó para atrás y decidió quedarse con su mujer. Y ella lo tuvo muy claro, no se puede atraer a un hombre que está a punto de dejar a sus hijos con otro hijo. Ella quiso presentarse como la antítesis de ese pasado, la mujer sin problemas, independiente, que sólo da la felicidad y que le hace al hombre más ligera la culpa cuando está a punto de dejar su casa. No hubo niños. El niño era él.

—¿Y qué vas a hacer, se lo vas a encasquetar a tu novio?

—No, eso no, a mí no me gusta actuar así.

—Entonces..., ¿abortarás, no?

—Es que..., abortar así, a palo seco...

—A palo seco... —Eulalia repite las mismas palabras que Tere buscando físicamente con los ojos el significado real de la expresión—. ¿Qué quieres, quieres que te pague el aborto?

Tere baja la cabeza, otra vez el gesto infantil, el silencio de la niña que espera resignada la bronca, pero ahora Eulalia siente que no es más que un gesto, y que no es síntoma de debilidad sino de fuerza, de resistencia.

—No, dímelo —la voz de Eulalia se quiebra, carraspea para seguir—, dime lo que buscas. Si quieres que te pague el aborto, yo te lo pago y en paz.

—¡Qué fácil es para usted, me paga el aborto y se quita de problemas!

—De problemas, ¿de qué problemas?

—De que yo tenga el niño y diga quién es el padre.

—¿Es que le harías eso a tu novio?

—Yo por un hijo mío hago lo que sea.

Eulalia se levanta, da unas cuantas vueltas por la habitación. Se sienta, se levanta, enciende un cigarro, entra al baño, hace pis, se acaricia las rodillas, se mira al espejo, oye sonar su móvil en el salón y sale corriendo. Tere lo tiene ya en la mano.

—No lo cojas, déjalo sonar. Es mi madre. Déjalo. Sólo me falta ahora hablar con ella. Teresa, tú no quieres tener ese hijo, ¿verdad?

—Es que si lo tengo querré que sea en las mejores condiciones, ¿entiende? Eso si lo tengo. Pero yo no quiero perjudicarla, ya le digo.

—¿Y de qué forma puedo yo compensarte para que no me perjudiques?

—Yo ya sé que con los hijos del señor ya tiene usted bastante. Otro más a repartir...

—Te digo una cosa —dice Eulalia, forzando una seguridad que ya no tiene—, me parece increíble lo que me dices, lo que estamos hablando, todo, este cuarto, ese muerto que hay ahí dentro, no sé si echarme en el sofá y dormirme, a ver si dentro de un rato me despierto en mi cama.

—¡Yo también lo he pasado muy mal! —grita de pronto Tere—. ¡Cómo se cree que se siente una cuando se le queda alguien tieso! ¡No sabía ni cómo quitarme de encima!... Ahora, ¿cómo me olvido yo de eso, Dios mío?

—¡Te lo mereces, te lo mereces, y ojalá que esto no te deje dormir ni follar en tu vida, y que antes de tirarte a un anciano, casado con tu jefa, te lo pienses dos veces!

—¿Es que era mejor ponerle los cuernos a ese anciano?

Llaman al timbre. Las dos se miran un momento. Tere abre la puerta pero sólo asoma la cabeza.

—¿Qué pasa?

—Eso digo yo, qué pasa, Tere —dice la vecina—. La niña tiene mucho susto.

—Nada, nada, de verdad. Ya te contaré.

—Es que no veas cómo ha vuelto la niña, contando unas cosas, y luego esos gritos.

—Nada, mujer, que a veces se discute. Luego te cuento.

—Me voy, pero no me quedo tranquila...

Tere cierra la puerta. Mira el reloj. El tiempo se echa encima y hay que llegar a algo.

—No se crea que yo no la entiendo —le dice casi dulcemente.

—¿No le irás a contar nada a ésta?

—No, no, señora. Ya le he dicho que no quiero perjudicarla.

A Eulalia la repetición de esa frase le suena ya como una amenaza.

—No se crea que yo no la entiendo —Tere ve el gesto de sorpresa de Eulalia y se explica—: Digo, casarse así, con un hombre mayor que una. Yo también lo haría. No es ningún pecado querer... prosperar.

—No lo hice sólo por eso —le dice Eulalia, pero sabe que ella ya no la está escuchando.

—Además, él sacó algo a cambio, ¿no? Igual que ha sacado conmigo. Yo tampoco lo hice sólo por eso, pero tengo derecho a mi parte.

—¿A qué parte?

—Quiero salir de aquí. Usted lo ha dicho, esto es muy pequeño. No quiero quedarme aquí para siempre. Abortar es triste.

—No es tan triste si una quiere hacerlo.

—Pero es que yo no sé si quiero hacerlo. Si tuviera este niño sé que no le iba a faltar de nada. Al señor no le gustaría que al niño le faltara de nada.

—Eso a mí ya no me importa, como comprenderás.

—Pero yo tendría mis derechos, mi dinero. Y usted no quiere que yo tenga ese dinero.

—El dinero no me importa tanto como a ti.

—No le importa porque lo tiene.

—¿No comprendes que para mí sería humillante? —nada más decirlo, Eulalia se arrepiente de haber mostrado de tal manera su debilidad.

—Yo renuncio al niño, vale, renuncio, ¿y qué tengo a cambio?

—¿Qué quieres a cambio?

—Hay una..., hay una promoción que están haciendo en el barrio de mi hermana, en Las Rosas. Yo le tenía echado el ojo desde hace tiempo.

—¿Desde que empezaste a acostarte con él? ¿Te acostabas con él y luego te ibas a ver cómo ponían los ladrillos?

—No, hace mucho más tiempo. Y tiene que saber una cosa, si quisiera, si yo quisiera, haciendo así —chasquea los dedos— mi novio daba la entrada.

—Pues hazlo, sería más honrado.

—¿Por qué? No sería más honrado porque yo no quiero que él la pague. Él la paga y qué, tengo que cargar con él para siempre.

—Siempre se da algo a cambio de algo.

—¿Eso es lo que hizo usted?

—Yo no me fui sólo con él por tener una casa. He hecho muchas cosas por él.

—Las mismas que yo. Organizarle la casa y acostarse con él. Y ahora se queda como una reina.

—Es inmoral lo que estás diciendo.

—Yo también quiero quedarme como una reina. Y no pido tanto. El piso nuevo sólo tiene sesenta y cinco metros cuadrados, el de usted es un palacio.

—¿Lo tenías pensado? Dímelo, qué importa ya, confiésalo, ¿lo tenías todo pensado?

—No, no quería esto, pero a lo mejor hubiera sido peor para usted que él hubiera vivido. Piénselo.

—Quieres que te dé las gracias.

—No. Quiero que me diga qué quiere que hagamos. Qué prefiere... Son veinticinco millones, con ese dinero se quita usted de problemas.

—Me estás robando.

—No, usted tiene que elegir: si tengo el niño, tendré mi dinero y el niño tendrá su apellido. Su apellido no se lo quitaría nadie.

—¿Tienes un gelocatil, algo para el dolor de cabeza? No puedo más.

—Sí, señora. Se lo doy con una infusión, ¿con una tila?

Eulalia saca del bolso un orfidal. Piensa en lo irremediable, en lo que vendrá dentro de unos minutos. Las torpes explicaciones al médico. La cara de tristeza que deberá ensombrecer su rostro en los próximos días. El traslado a casa, el entierro, los pésames, la cara de viuda. Mejor, la careta de viuda. En otras circunstancias habría sentido la necesidad y el convencimiento de padecer un dolor verdadero, pero de esta manera, cómo sería de esta manera. Se había imaginado muchas veces como viuda. En su costumbre compulsiva de imaginarse la vida dos o tres jugadas más allá del presente ése había sido uno de sus recorridos mentales más asiduos. Pero esto cambiaba todo. No el traje que iba a elegir para el sepelio, no las palabras de hondo agradecimiento con las que recibiría los pésames, ni las declaraciones que más tarde o más temprano hiciera sobre el que fue su marido, sino su interior, el alma. Los ojos con los que ella observaría todo lo que ya estaba a punto de suceder.

Tere vino de la cocina. El gesto de buena disposición de siempre. Su talante de persona servicial. Parecía otra vez la criada. Le dio la taza con la tila y el gelocatil. Eulalia se tomó las dos pastillas a la vez. Mientras tomaba a sorbitos cortos la infusión, Tere estaba arrodillada, buscando algo entre las carpetas que había en la estantería.

—Te daré el dinero, pero no vengas a casa. Yo te lo haré llegar.

—Antes de que sea demasiado tarde —Tere se volvió hacia ella y se tocó el vientre. Luego siguió buscando.

—Claro, antes de que sea demasiado tarde.

—Ay, Dios mío, que estamos casi a oscuras —dijo Tere en un tono casi jovial. Se acercó a encender una lámpara regalo, «De las presas de Soto del Real al maestro», eso decían las letras grabadas en la arcilla. Como pie de lámpara, habían modelado a una mujer leyendo. En las páginas del libro: «La lectura nos hace libres». Tere le mostró un diario de esos de cría pequeña—. Aquí lo tengo.

Tere se sentó de nuevo al lado de Eulalia. Abrió con una llave diminuta el librito de piel falsa con remates dorados. «Lo guardé aquí porque para mí fue muy importante, ¿sabe?» Sacó un papel, uno de esos papeles de antiguas pruebas de libros que Samuel utilizaba luego por la otra cara para escribir borradores, notas que luego nunca utilizaría, y se lo tendió. La letra de Samuel, su letra, casi ininteligible. Palabras formadas por una especie de enes encadenadas que parecían más bien el simulacro de alguien que hace como que escribe pero que en realidad no está escribiendo nada. Poco a poco, fue encontrándole el sentido a aquellas frases:

Tu poesía tiene una gracia natural, salvaje, algo que te viene de dentro y de lo que tú ni siquiera te das cuenta. Como tú. Hubo algún verso que me recordó a Lorca. Te lo diré más despacio esta tarde.

S.

El dedo enrojecido, de piel tosca y dura de Tere, señaló el papel que Eulalia aún tenía entre las manos: «A Lorca, dijo que a Lorca».

Tercera parte

Algo más inesperado que la muerte

El chófer no ha parado de hablar desde que la ha recogido en el portal de Alfonso XII. Le abrió la puerta trasera del coche y le dijo, la acompaño en el sentimiento. Y luego se disculpó por haberla acompañado en el sentimiento con un año y medio de retraso. No se preocupe, le dice Eulalia, no ha tenido usted oportunidad de hacerlo antes. Ella le dice que prefiere ir delante y él sonríe, interpretando esta elección como un gesto de confianza, ella se da cuenta inmediatamente y se arrepiente enseguida, en cuanto se ponen en marcha, y el hombre se siente autorizado a comenzar una conversación que no va a acabar hasta que no termine el trayecto. Él le dice, no se acordará, pero yo les llevé a usted y a su marido de usted una vez ahí, a la Puerta del Sol, cuando le dieron a su marido la medalla de Madrid; me acuerdo, sí; se acordará de la medalla pero no de mí, claro; es que con el tiempo se borran las caras; y que es más fácil que yo me acuerde, porque ustedes eran los famosos, yo, ya ve, como cualquier chófer; tampoco es eso; su marido era un caballero, yo aquel día estuve rápido porque me enteré de que tenía que llevar a su marido y me fui corriendo a la librería y compré un libro suyo y luego el hombre me lo firmó, para mi chica mayor, yo leer no leo, sé que es bueno, pero no me concentro, a mí, como yo digo, todo me entra por aquí (se señala el oído), por las orejas, así que yo a su marido lo conocía de sobra, de oírle por la radio, y cuando murió lo sentí, lo sentí de verdad, porque era un escritor al que yo admiraba, como escritor y como persona, si me apura, más como persona que como escritor, para mí antes son las personas que la fama de esas personas, ¿usted me entiende?; claro que le entiendo; fíjese si yo le tenía aprecio a su marido que el mismo día que me enteré de su fallecimiento —por la radio— llamo a mi casa, y le digo a mi chica, ya puedes guardar como oro en paño el libro dedicado que te llevé porque el escritor se ha muerto, así que el libro ese, ¿una novela era?; sí, una novela; ¿*El sinvergüenza*, era?; no, *El impostor*; eso mismo, *El impostor*, yo sabía que andaba la cosa por ahí, pues eso, le digo a mi chica, ya puedes guardar el libro, que ese libro, ahora que se ha muerto el hombre, es un objeto histórico, al menos yo lo veo así, usted sabrá más que yo; bueno, es más valioso; más valioso, eso mismo dije yo, y me contesta la cretina que se lo dejó a una amiga pero que no se acuerda a qué amiga se lo dejó, ¿qué me dice?; que se llevaría usted un disgusto; yo le digo una cosa, si llego a estar en casa en ese momento le pego una guantá que le rompo la mandíbula; hombre, tampoco es para tanto; para mí sí que es para tanto porque ni me sobran libros ni me sobran dedicatorias, y le digo otra cosa y mi mujer lo sabe, si mis hijos no se han llevado más hostias es porque me paso la vida en el coche, qué pasa, que les amenazo por el móvil, pero desde que les amenazo hasta que me veo en casa, cuánto puede pasar, pues póngale mínimo cuatro o cinco horas, después de cinco horas ya está uno tan reventao por decirlo finamente, que no tiene uno fuerzas para levantarle la mano a nadie.

Y dígame, esto a lo que vamos ahora, ¿qué es, que le dan un premio a su marido? A título póstumo, se entiende; no, que inauguran un centro cultural con su nombre; pues está el centro cultural este a tomar por culo, ¿sabe por dónde pilla?; no exactamente; pues más arriba de Valdebernardo, ya le digo, donde Cristo perdió el gorro, yo a su marido le hubiera puesto un centro cultural más céntrico, no que ahí, usted me dirá, ahí sólo van a ir los que vivan ahí; bueno, para eso estará; claro, si yo no digo que no, yo lo veo bien, además, están haciendo ahora unos pisos por esa zona de lujo, de tres y cuatro dormitorios, con su plaza de garaje, y sus ventanas de PVC, un piso de esos no baja, hágame caso, de los sesenta kilos, haga la cuenta en euros, y ahora dígame una cosa, con sinceridad, ¿se gastaba usted ahora mismo ese dineral en irse a vivir a una zona tan horrorosa?; no, yo no; ni yo tampoco, dígame otra cosa, su casa, ahora mismo, ¿cuánto puede costar?; no le puedo decir; más de cien kilos, seguro; es posible; no me conteste si no quiere, pero yo sé que más de doscientos kilos, pero claro, está enfrente del Retiro, lo que yo llamo una zona señorial y un piso con abolengo, pero coño, irse a Valdebernardo, hipotecarse hasta los dientes, para asomarte a la ventana y no ver un puto árbol, y encima le digo una cosa, que esos pisos serán la pera, pero enfrente qué tiene, ¿sabe lo que tienen enfrente?; no; pues yo se lo voy a decir: enfrente tienen pisos de protección oficial, de esos que salen por dos pesetas, que son muy majos, que están bien, lo que usted quiera, pero ahí ya tiene otro tipo de vecindario, no es lo mismo asomarse a la ventana y ver el Retiro que asomarse a la ventana y ver a unos individuos que están pelaos, que tienes en tu misma calle a una gente que le ha costao el piso la décima parte que a ti, ésos son tus vecinos, y ahí en esas viviendas de protección oficial yo no sé cómo consiguen meterse, yo intenté meter a mi chico, y nada, me lo denegaron. Yo le digo a usted una cosa, ahora mismo en España para sacar algo en claro, o tienes que ser muy rico o tienes que ser muy pobre y buscarte los cholletes, o eres moro, claro. Yo a veces, se lo digo a mi mujer como se lo estoy diciendo a usted ahora mismo, preferiría ser pobre; tampoco es eso; ¿tampoco es eso?, a lo mejor así le habían dado el piso a mi chico y se habría ido de casa, que estamos deseando.

Bueno, que hemos desviado la conversación —es que es raro que uno encuentre gente con la que poder charlar—, ¿qué tal se encuentra usted?; pues bien, muchas gracias; bien dentro de un orden, ¿no?; claro, dentro de un orden; su marido la llevaba unos cuantos años, quiero decir que usted es joven todavía; no tan joven; pues lo parece; gracias; su marido murió de algo como qué; de un ataque al corazón; que era fumador; sí, fumaba, no mucho, pero fumaba; ¿una cajetilla?; media; ah, bueno, entonces el ataque le dio por otra cosa.

Eulalia cierra los ojos. El taxista sigue impartiendo su concepto del mundo. Cruzan la Estrella, el puente sobre la M-30, Moratalaz, y sigue hablando. El tabaco, la salud, la muerte, morir de viejo, morir en la propia cama, morir de joven, morir por un atentado terrorista, el terrorismo, la solución al problema del terrorismo, esa solución con la que inexplicablemente nadie ha dado y que ahora, quiera o no quiera ella, él va a desarrollar sin piedad. Abre los ojos, el sol se va, se va, y la luz de septiembre es especialmente hermosa a la caída de la tarde en el este de Madrid. Las aceras de la avenida de Moratalaz están llenas de niños que vuelven a casa cargados con las mochilas. Primeros días de escuela. Ayer vio un reportaje sobre presos que acababan de salir a la calle con la condicional. Todos coincidían en que si hay algo que echaban de menos en la cárcel era el ver niños, el verlos jugar en la calle, andar por la calle, oírles hablar. Uno de ellos mostraba su terraza que daba a un patio de colegio y decía que allí se quedaba muchas mañanas fumando, absorto, mirándoles. Y nunca me han gustado los niños, decía, nunca me había fijado en ellos. Por alguna extraña razón Eulalia sintió que aquellas palabras podían haber sido suyas. Se echó a llorar. Qué ocurre cuando el deseo de la maternidad aflora demasiado tarde. Ahora se le presenta como el deseo más noble que podría haber tenido. En estos momentos el niño tendría once años. Podría ir con él en el asiento trasero del coche, acariciándole la mano. Habría tenido la obligación de hablarle siempre bien de su padre muerto, y eso la hubiera ayudado a ella a perdonar, a sentir su ausencia, a pesar de todo.

Está sorprendentemente tranquila. El rencor es un sentimiento abrasivo, acaba con el cariño, con los buenos recuerdos. Sería un proceso digno de ser contado, se lo contaría al doctor Millán, pero ya no lo visita. Uno va a un psiquiatra, a un psicólogo, para confesarle los secretos inconfesables que le queman a uno la tranquilidad, pero qué ocurre cuando pasas las sesiones intentando esquivar esos secretos porque no te fías ni de tu propia sombra. Si pagas por contar la verdad y no la cuentas, si a la pregunta de cómo te sientes, Eulalia, ahora que estás sola, cómo lo recuerdas, qué es lo que echas de menos, uno miente tanto como miente al portero o como miente al periodista que prepara una amplia semblanza sobre el escritor y baja la voz y te trata con la delicadeza del que supone estar tocando un asunto doloroso; qué sentido tiene entonces gastar dinero inútilmente puesto que nunca te vas a desprender de esa verdad que guardas tan celosamente como se guardan los diarios que él escribía y que sólo se podrán publicar cuando haya muerto Concha, la madre de sus hijos. En realidad, nadie tiene muchas ganas de verlos publicados, salvo la editorial que ya tiene los derechos. En ellos está la dolorosa lejanía que tantas veces sintió por su hijo, la preferencia hacia una hija a la que no considera demasiado inteligente, el desamor hacia su primera mujer, y una cruel colección de comentarios sobre los amigos, sobre las vidas íntimas de éstos o sobre sus obras literarias, que en la mayoría de los casos quedan ventiladas con juicios displicentes. Está el amor hacia Eulalia, el testimonio de que lo hubo, de que hubo una especie de renacimiento cuando la conoció, están los encuentros sexuales de los primeros años, narrados hasta en sus detalles más impúdicos, pero poco a poco van desapareciendo hasta que sólo queda una convivencia que se puede seguir más por los actos sociales a los que asisten juntos que por el amor que les une. La vanidad compartida fue lo último, el último lazo. Y también él mentía. Los diarios están llenos de mentiras o de verdades a medias. Si bien podía ser terriblemente sincero cuando se trataba de escribir sobre los demás, no anotó nada sobre la existencia de ese pequeño detalle que Eulalia encontró en el fondo de uno de los cajones de su estudio: la receta de las pastillas de Viagra. No sólo le ocultó a ella que las estuviera tomando, también parece que para él resultaba un acto vergonzoso, una debilidad mayor que las otras debilidades, que las arritmias, o los fallos de la memoria, a los que dedica algunas páginas como buen hipocondríaco. Pero la omisión deja claro que ese último amor o como pudiera llamarse aquello que le quitó la vida se resumía en aquella receta.

Tampoco había referencia alguna a ese embarazo, del que, se supone, tenía noticia. Sólo una página inquietante. Fechada dos meses antes de su muerte:

Vuelvo a casa derrotado, con una derrota feliz, de cansancio físico gustoso. Me encuentro con un libro de poemas que me manda Rafael Juárez desde Granada, poeta tímido y sensible con el que mantengo la mejor de las amistades, la epistolar, la que no se corrompe con conversaciones de chismes literarios. Leo los poemas al azar y me encuentro con uno que me sobrecoge:

Derrota la lluvia al sueño
en una tarde imprevista.
No hay fatiga que resista
el paraíso pequeño,
repetido y reservado
que nos devuelve al estado
de los patios sin distancia:
campanas, plantas y gatos
entre la lluvia y relatos
en la radio de la infancia.

Ahí está el recuerdo de esta tarde. Ella sobre mí. Mis manos levantadas como si fuera un sonámbulo, buscando sus pechos, que se me escapan con los saltos. Cuando se acaba, ella se levanta, como siempre, y se va a la cocina. La ventana está abierta. Empieza a llover, se oye trajinar a las vecinas en las cocinas que dan al patio. Cierro los ojos y me veo, me siento, con siete, con ocho años. Estoy en la cama de mi madre, en el dormitorio de la casa de Olavide. Estoy enfermo y mi abuela prepara algo caliente para bajarme la fiebre.

La lluvia es la misma de entonces, el mismo olor, el mismo ruido, la luz grisácea que borra los contornos de las cosas, la cortina moviéndose, una radio lejana, y ella velando por mí. La altísima fiebre infantil me hizo delirar, pensar que me había muerto, tenía la sensación de verme desde arriba, el cuerpo delgado, inmóvil bajo las mantas, los ojos cerrados. Sólo la mano fresca de mi abuela sobre la frente ardiendo me devolvió a la vida. Igual que la mano de ella, esta tarde, me sacó del sueño. Era tan feliz que no me hubiera importado que fuera el último.

Arrancó la página. Hay otras páginas arrancadas por él, seguramente porque sospechara que ella le leía el diario, que debían hacer referencia a otros secretos. Lo leyó durante algunos años, sí, pero luego dejó de hacerlo. Al doctor Millán le dijo que esa mala costumbre había desaparecido cuando con el tiempo se había fortalecido la confianza en su marido. Mentira. Lo que había desaparecido era el interés. Además, él ya no estaba para poder permitirse aventuras, con la enfermedad se había vuelto miedoso. Aunque inexplicablemente, en el momento más inesperado, una mujer callada y roma acabó con su miedo. Para siempre.

La página arrancada, muy adornada seguramente por la literatura, se había convertido en un deseo realizado, en una premonición. Aunque nadie muere dulcemente como un niño, pensaba Eulalia, él moriría aterrorizado, como todo el mundo.

El rencor había doblegado la pena, sí, y en los primeros momentos la ayudó a mantenerse sorprendentemente lúcida. En la gran representación del tanatorio, el posterior ritual de esparcimiento de cenizas en el Parque del Oeste, y los actos, que como un goteo constante, se fueron celebrando en su memoria, estuvo impecable. Samuel se hubiera reído: se empeñó en sentar a la madre de los hijos en primera fila cuando se conmemoró el aniversario de su muerte. La generosidad era producto de la frialdad interior; la frialdad, del rencor. En otras condiciones más normales, ella hubiera estado demasiado tensa, pero así podía permitirse el lujo de controlar la función.

—Esto debe andar por aquí. Esto que queda a la izquierda es Valdebernardo y lo que empieza a la derecha, Las Rosas. Pero qué más da un nombre que otro. Todo es igual. Por eso le digo, ser un pijo y venirse aquí es ser gilipollas, hablando en plata. Aquí echas a andar y de pronto se te ha acabao Madrid, o te encuentras con una carretera de circunvalación o con el campo, y qué campo, todo pelao, nada más que vertederos y conejos mutantes. Dicen que hay conejos en esta zona que se comen las basuras. Eso es antinatural, no me diga, las basuras, de toda la vida de Dios, han sido cosa de las ratas; así que sacaron el otro día en Telemadrid un tipo nuevo de conejos mutantes que se cría por esta zona, grises y con las patillas chicas. Ya le digo, mutantes. Y luego los yonkis, que allá donde hay un descampao están ellos, entre las basuras. Mutantes también, como los conejos...

—Es ahí, mire.

Un grupo de personas espera en la puerta de un edificio circular de ladrillo visto. El nombre del escritor está encima de la puerta, con letras grandes y confusas, de una presunta modernidad que las convierte casi en un jeroglífico.

—Da igual —le dice el chófer—, la gente ya lo ha bautizado de otra manera. Me dijeron que si nos perdíamos preguntara por el Depósito.

Desde luego tiene forma de depósito de agua, aunque la primera relación que hace Eulalia es necrófila: el depósito de cadáveres. Jesús Mora espera, sonriente y trajeado, entre las autoridades del barrio y las del Ayuntamiento. Muerto el perro, se acabó la rabia. A Eulalia le parece increíble haberse acostado alguna vez con él. En el fondo compartía la opinión de su marido. Ahora menos que nunca desea que la relacionen con un hombre tan pusilánime. Samuel había dejado el listón muy alto. Y además él sigue estando presente en su vida, porque si bien no le había costado nada acostumbrarse a la falta de su presencia real, cada paso que daba, aunque fuera el más irrelevante, le traía a la memoria alguno de sus juicios de valor, los comentarios implacables de ese juez sarcástico que la acompañaban a todas partes, de la misma forma que esa canción que hemos escuchado antes de acostarnos se nos mete en el sueño y sentimos, cuando nos despertamos, que la hemos estado escuchando toda la noche. No sólo recordaba opiniones que le había oído tantas veces, también imaginaba otras nuevas, y sentía vívidamente la sonrisa paternal con la que la observaría representar su nuevo papel de viuda. Recuerda aquella tarde en el hospital, después de que sufriera el primer ataque al corazón, ella acusó de pronto la angustia de verse sola, de no saber cómo la trataría el mundo sin tenerlo a él de muro de contención de todas las maldades a las que se somete una mujer que lo ha dejado todo, su trabajo, su vocación, por un hombre a punto de ser viejo. ¿Qué voy a hacer si te mueres, qué será de mí?, le preguntó, sentada a su lado, con la cabeza reposando en la mano de él. Serás mi viuda, le dijo. Yo no quiero ser tu viuda, dijo ella. Y él contestó, una mujer que se casa con un hombre treinta años mayor que ella ya se ha hecho a la idea desde el principio.

Ahora estaba cómoda en esa posición. Viuda. Sin saber muy bien por qué, había reiniciado una relación clandestina con Jorge Arenas. Puede que necesitara mantener enseguida una relación sexual con otro hombre y éste es el que estuvo más a mano. La razón de la clandestinidad venía ahora por parte de ella porque él ya no tenía que engañar a nadie, se había separado. Viuda, quería ser viuda. Qué sentido tenía ahora compartir una relación completamente incómoda, no por todos los antiguos desencuentros, que una vez desaparecido Samuel parecían olvidados, sino porque acusaba la sensación de que es poco excitante verte desnudo habiéndote visto y deseado en la juventud, cuando el cuerpo no había sido tocado por la venganza del tiempo. Tal vez puedan acostumbrarse los matrimonios que maduran, que envejecen juntos, pero a Eulalia le resultaba incómoda la constancia de todos esos años en que no se habían visto íntimamente. Con los amigos el tiempo se refleja en la cara, con los amantes se ve al completo. Además, Jorge era un hombre de cincuenta años atrapado por los peores sueños juveniles, por ese antiguo deseo de analizarlo, de hablarlo todo. Así sucedió la primera vez que se acostaron, en la cama matrimonial de Eulalia, sólo un mes había pasado desde que se muriera Samuel. Después de hacerlo, quedaron en silencio, y él interpretó el silencio como el resultado de un remordimiento interior, le dijo, ¿cómo te has sentido?, ¿quieres que hablemos?; y Eulalia tuvo que reprimir las enormes ganas de reírse. Qué coño se iba a sentir mal, pensó, qué hombre tan idiota, qué hay que hablar, ¿un polvo hay que hablar, hay que comentarlo, recordar la jugada, analizarla?

Llega hasta la entrada del Depósito con una sonrisa. Todos aquellos hombres, según va escuchando de boca del director del centro los nombres y cargos, se inclinan ligeramente al saludarla. Rodeada por todos ellos entra en el vestíbulo principal, descubre un teloncillo en el que está escrito el nombre del escritor y las fechas que arropan su vida. Ellos mismos y algún empleado del centro aplauden. Entran en el salón de actos. Es desmesuradamente grande y sólo está lleno hasta la mitad. Al verla entrar alguien comienza a aplaudir y el resto se une. Las primeras filas también están casi vacías. Suben hasta el escenario y se sientan a la mesa cinco de los hombres que la saludaron y le ceden a ella el asiento central. Todos van a intervenir. El director toma el único micrófono que hay sobre la mesa. Comienza a hablar y el micrófono se acopla. Tras cinco intentos frustrados, deja el micrófono sobre la mesa y dice que de momento se esforzará y gritará un poco. Eso sí, añade, sería conveniente que se acercaran ustedes a las primeras filas. Casi nadie se mueve —sólo Jesús Mora y otro empleado— y el director, nervioso, empieza el discurso. Lee tres folios. Explica los motivos por los que ese centro cultural que hoy se inaugura quiere rendir tributo permanente al escritor. Los enumera. La importancia del escritor, el indudable tono social de su literatura, su identificación con las clases populares, su amor hacia la lectura, su ejemplo moral. La gente aplaude con ganas, aunque el aplauso suena pobretón porque la acústica dispersa cualquier sonido. Le toca el turno a los otros cuatro. El primero, el concejal de Cultura. Se levanta y se coloca al lado del director del centro. Éste improvisa. Destaca la importancia del escritor, su ejemplo moral, la calidad de su literatura, su defensa de la difusión de la lectura. Y así uno tras otro, hasta que acaban todos de pie, dejando a Eulalia sola en la mesa, detrás de un ramo de flores, tan desproporcionadamente grande como el propio centro. Ha pasado más de media hora.

Un anciano señor con mono de trabajo que parece ser el entendido en megafonía ha estado deambulando por el escenario haciendo pruebas de sonido mientras las autoridades hablaban. El público sin duda ha estado más pendiente de él que de los discursos. Las miradas se dirigen ahora a Eulalia. Bueno, con permiso, dice ella apartando las flores a un lado de una forma algo cómica. El público se ríe. Eulalia no se levanta e invita a los cuatro hombres a tomar asiento, lo que provoca de nuevo la sonrisa de la gente, la inmediata simpatía hacia ella y el ligero ridículo de los hombres encorbatados. Da las gracias, dice encontrarse íntimamente emocionada, dice algo así como que si su marido pudiera ver este precioso centro cultural estaría también emocionado. Tiene que gritar para que su voz no se pierda en aquella sala absurda, así que su pequeño discurso acaba teniendo el tono de un mitin y sus palabras parecen estar cargadas de un gran convencimiento. Dice que espera que allí se hagan grandes cosas, dice que su marido siempre se preocupó, como bien han dicho... estos señores, en dejar bien claro que la cultura debía empezar desde abajo, dice que fue un defensor de las bibliotecas públicas, un amante, como se señalaba, de la cultura popular, y espero, dice, que su nombre sirva como ejemplo, como guía, para todos aquellos que quieren prosperar, saber, en definitiva, ser mejores. Viéndoles aquí esta tarde, me doy cuenta de que su obra y su figura fueron muy queridas, y yo les doy las gracias. No saben cuánto me alegro.

Ahora los aplausos son más fuertes. Eulalia se levanta para agradecerlos. La sonrisa es de felicidad, piensa que el acto se ha terminado. Pero no. El director del centro se le acerca, queda la entrega de diplomas. ¿De premios, de qué premios? Unos premios literarios. Pensamos que sería un colofón perfecto para la inauguración. Lo convocamos hace dos meses y se han presentado mil personas. El premio es humilde, dice con una gran sonrisa el director, pero los comienzos de casi todos los grandes escritores han sido humildes. Tras decir esto, mira a Eulalia, y ella asiente. Ahora comprende que el público estaba impaciente por que llegara el gran momento, la entrega de premios. Todo lo anterior ha debido parecerles un preámbulo interminable. Para ellos será un honor, dice el director, que en representación de su marido usted sea la encargada de entregarlos.

Al fin los micrófonos funcionan. Eulalia se levanta, les besa y les entrega el diploma y un vale para retirar diez libros en la nueva librería del barrio. Luego se sienta mientras uno tras otro suben y dan las gracias a sus familiares, amigos, al centro, a la librería. Es entonces cuando el director pronuncia el nombre de ella, pero Eulalia no lo reconoce, es un nombre tan vulgar como cualquiera, Teresa Rubio, aunque mes tras mes durante tres años llegara la notificación del banco con ese nombre certificando el pago de su sueldo, aunque hace un año firmara su carta de despido, aunque fuera ese nombre al que ha transferido varias veces un dinero, el dinero que prometió y del que ha preferido desprenderse sin mayores reflexiones, sin pensar en la palabra que ha ocultado en alguna parte de su cerebro para no sentirse mal, chantaje, para no admitir que la tranquilidad posterior a la muerte de su marido, o mejor aún, su dignidad pública, dependieron del dinero que le tapó la boca a esa Teresa Rubio, cuyo nombre no reconoce cuando lo escucha de boca del director. Pero ahora, ve salir de las últimas filas, abriéndose paso entre la gente, a Tere. Recorre el pasillo hasta llegar al estrado con la misma determinación con la que recorría tantas veces el pasillo de su casa, como si tuviera un objetivo que nadie más que ella conoce. Siempre ha sido fuerte pero en este tiempo el cuerpo se le ha ensanchado, como si se le hubiera agrandado el esqueleto. Se planta en el centro del escenario, sin acercarse a la mesa, mirando hacia un lugar indeterminado, rascándose nerviosa la cabeza, con uno de esos gestos infantiles tan reconocibles en ella. Eulalia se levanta. No ha hecho aún ninguna reflexión de lo que supone tener a esa mujer ahí delante, verle la cara después de un año y medio, pero sabe que en cuanto se monte en el coche de vuelta a casa la mente se le llenará de preguntas, de obsesiones. No puede pensar. Sólo se acerca a ella y le entrega sus cosas. Tere, sin mirarla, le da dos besos, y ya con el micrófono en la mano, le dice: «¡Cuánto tiempo!...», y el público se ríe ajeno al verdadero sentido de la frase. Eulalia vuelve a su sitio.

A partir de este momento todo se desarrolla como en un sueño, acolchado como en un sueño, como en la cárcel de un sueño del que uno no puede escapar. Sabe que no es capaz de hablar, ni de salir corriendo, ni de taparse los ojos. Tiene que ver y oír, escuchar la voz de esa mujer que se ha sacado una cuartilla del bolsillo trasero de los vaqueros y ha decidido leer la poesía por la que ha ganado el premio. La voz de Tere, aumentada por el micrófono, suena seria y rotunda, como lo fue la tarde en que le dijo yo también quiero lo mío, aquellas palabras de entonces se confunden con otras que quieren ser poéticas, *quiero tener una casa blanca, donde se limpie lo negro de mi alma*, pero Eulalia sabe que no hay poesía, que es verdad, no hay metáfora, no hay invención, ni ensoñación romántica, *quiero tener una casa verde, como la esperanza que nunca se pierde*, ahí está el dinero que ella le mandó en tres cheques, su manera tozuda y empecinada de pedir las cosas, *quiero tener una casa azul, y regar la simiente que me sembraste tú*, la manera en que la embaucó en un trato falso para hacer luego lo que quería. Eulalia lo entiende todo, lo sabe todo. El acto se acaba, firma varios ejemplares de las novelas de su marido, pero sabe que ella la está esperando. Se abre paso entre los besos de algunas mujeres del barrio, entre los hombres que igual que la rodearon al entrar ahora la rodean para salir, le dicen que hay una cena, Jesús le hace una seña para indicarle que ha traído su coche y que ahora mismo pasa a recogerla. Sabe que está ahí, en la puerta y que se va a acercar a ella en cuanto la vea salir.

—Éste era el barrio, Las Rosas, ya le dije...

—Ya, Las Rosas —cómo se iba a acordar, piensa Eulalia, de un barrio del que sólo había oído hablar aquella tarde.

—Si quiere ver mi casa...

—No, no, me voy ya.

—¿Era usted del jurado?

—¿De qué jurado?

—Del premio.

—Ah, no, no, yo no tengo nada que ver en eso.

—El señor se hubiera alegrado.

—Dime una cosa —Eulalia mira a ambos lados y luego baja la voz—, me dijiste que no lo tendrías.

El niño está en brazos de una joven, a unos metros de ellas. Los dos, la joven de pelo corto y aspecto de chaval, y el niño, les miran.

—Ya, se lo dije... —Tere mira hacia abajo, hace una mueca con la boca, como haciendo ver que no tiene muchas explicaciones—, pero me dio mucha pena. Se me fue pasando el tiempo y..., cuando me quise dar cuenta. Yo no soy de las que abortan tan fácilmente. Yo no.

—Esto no es lo que hablamos. Me has engañado.

—Es que, es que en teoría se hablan unas cosas, pero luego... Asun, tráeselo a Eulalia que lo vea.

La muchacha se acerca con la criatura. Los ojos de Samuel, los ojos de Samuel están ahí, mucho más que en ninguno de sus otros hijos. Brillan intensamente bajo la luz de la farola. Los ojos enormes del niño pobre que fue Samuel, criado entre mujeres. Los ojos feroces del niño que ya parece poseer en la mirada la firmeza de un propósito.

—Me dio pena —el niño le echa los brazos a su madre y se abraza a ella—. Asun, espérame en la esquina, que ahora voy —Asun se va, haciendo un gesto de despedida, huraña, desconfiando del encuentro—. Ahora está muy serio porque se ve que usted le impone, no usted personalmente, los desconocidos en general, pero se ríe mucho, es un niño que con nada que le hagas se ríe mucho. Es muy simpático.

—¿Y tu novio?

—Corté con él, le dije que no quería que se viniera. Otra, por estar casada, tragaría con todo, pero yo no. Vino una tarde y se puso insistente pero con violencia, venga a gritar que quería saber de dónde había sacado yo el dinero. Y yo le dije que antes muerta que decírselo y le solté que estaba embarazada y que para colmo el niño no era suyo. Me pilló de los pelos así patrás, me hizo esta cicatriz de aquí —le muestra una cicatriz que lleva en la frente, debajo del flequillo—, que no perdí el niño de milagro. Estaba Asun, mi amiga, y le quitó de encima dándole con un pisapapeles de mármol en la cabeza, uno de los que me dio usted del señor. Ahora tiene mi amiga el juicio, pero la van a absolver, eso descarao que la absuelven, porque lo hizo en legítima defensa, en defensa mía. Mírelo, pobrecico mío, se le caen los ojos.

Mora le hace un gesto con la mano, está esperándola.

—Me voy.
—¿Es guapo, verdad que es guapo?
—Sí.
—Eulalia, yo quería pedirle una cosa.
—Creo que ya me has pedido muchas.
—Estoy muy bien, de verdad que estoy muy bien, pero ahora el niño empezará con la guardería y yo, yo tengo que hacer algo. Usted cómo anda de servicio.
—Bien, perfectamente.
—Ya, pero, dadas las circunstancias, si a usted no la molesta que lo hablemos. Me paso a verla y lo hablamos, a mí me gustaría volver, ya sabe cómo me manejo yo en la casa, que lo saco todo en una volá. Y es que me vendría bien, de verdad se lo digo, trabajar, yo con ustedes estuve de maravilla... ¿Qué hago yo en casa? Además, que se me ha ido yendo todo lo que tenía en el piso, y con el crío... Yo me paso y usted se lo piensa, me paso esta semana si a usted la viene bien...
—Adiós, Tere, tengo prisa. Adiós, no me llames, no necesito a nadie ahora. Te lo digo en serio, no me llames.

Echa a andar hacia el coche. Le falta el aire. Aún puede oír la voz de Tere, la voz del sueño del que todavía no ha podido escaparse, la voz que le dice, el niño se llama Samuel. Los bloques de pisos se suceden, iguales unos a otros, como las altas farolas que iluminan la calle. Mora no quiere preguntar, sabe que no debe preguntar, por eso simplemente le pone una mano sobre la pierna, una mano que viene a decirle que lo entiende todo, que lo sabe todo, sabe incluso que el próximo jueves, o el viernes, esa mujer llamará a la puerta y no habrá manera de librarse de ella, no habrá manera. Hay personas que tienen la habilidad de determinar el futuro de los demás y el suyo propio y hay otras, como Eulalia, para las que ese futuro siempre está en la cuerda floja.

Índice